こころと身体の心理学

山口真美

岩波ジュニア新書 923

まえがき

みなさんは小さい頃《ころ》、どのように過ごしていましたか？　友達やきょうだいと元気いっぱい外を走り回っていたでしょうか。それとも、本を読んだりゲームをしたりと、家の中で過ごすことが多かったでしょうか。

筆者は、顔や身体がどのように心と関係するかを実験的に調べる研究をしています。私自身のことをお話しすると、小さい頃から本ばかり読んで、身体を使うことの少ない子ども時代を過ごしていました。買い物やお片付けといった、身体を動かすちょっとしたお手伝いも、「ずる」をして逃《に》げていました。思い返すと、小賢《こざか》しい子どもでした。

「痛み」にとても弱くもありました。子どもの頃の記憶《きおく》といえば、痛かったりつらかったりしたことが真っ先に思い出されます。自転車の後ろにのせられて、ぼんやりしていてタイヤに足を巻きこまれてけがをしたこと。転んですりむいた膝小僧《ひざこぞう》に、真っ赤な消毒薬の「赤チン」で絵を描《か》かれたこと。――身体を使うと痛い目にあうからと、私は身体を使うことをさらに避《さ》けるようになっていきました。

でも、大人になってからふり返ると、それは人生のすべり出しとしては失敗だったな、と思います。身体を使わなかった結果、自分の身体に関する感覚、つまり身体感覚が希薄《きはく》になってしまったのです。身体感覚の希薄さは、意識の希薄さに直結します。いつもぼんやりとしていて、授業中でも気を抜《ぬ》くと、いつの間にか空想世界に入ってしまい、目の前のことに集中できなかったことが思い出されます。目の前のことに対処するよりも、過去のことをうじうじ考えたりすることが多かったようにも思います。

こうした空想におちいりがちな性質は「想像力を育む」ともいわれます。良い一面があるとしても、その反面、身体を通じて獲得《かくとく》されるはずの現実との接点が、うまくつかみきれないような、どこか存在が浮《う》いているような感じになっていたと思うのです。

人にとって身体とは、何なのでしょう? 筆者の話の続きをすると、その後の思春期は、自分ではどうしようもない身体の違和感《いわかん》という問題を抱《かか》えて、嵐《あらし》の真っただ中にいるようでした。

たとえば、金縛《かなしば》りです。ほかにも、眠《ねむ》っているはずの自分の身体が宙に浮いているように感じたことや、身体感覚が麻痺《まひ》してしまい自分と世界の間に膜《まく》が張ったような感じが半日くらい続いたりすることもありました。ある日突然《とつぜん》、うどんしか食べられなくなったこともあります。いずれも今ふり返るとありえない体験で、当時の自分にとって身のまわりは得体《えたい》の知れない恐怖《きょうふ》でいっぱいでした。

10代の私は強烈《きょうれつ》な身体感覚に衝撃《しょうげき》を受けてばかり。自分はおかしいのではないかと気になって、友人たちに相談しようとしたこともあります。しかし、突拍子《とっぴょうし》もない話に、みな眉《まゆ》をひそめるだけ。会話はすぐにクラスの男子や芸能人の噂《うわさ》話に戻《もど》ってしまいます。周りとの温度差に嫌気《いやけ》がさし、しだいに周囲と距離《きょり》を置くようになりました。そして自分自身の身体の何ともいえない感覚が、最大の関心事になっていったのです。

身体とは、自分自身です。その身体感覚が不安定になるということは、自分自身の存在そのものが不安定になることでもあります。それは思春期特有の問題ともいえましょう。つらい経験でもありますが、逆に、こうした心と身体の危機は、自分自身について考えるきっかけになるのではないでしょうか。

では、どのようにしたら、安定した心と身体の関係を保てるのでしょう？　この心身問題は、昔から、哲学《てつがく》上の大きな問題ととらえられてきました。近年、そこに現代科学のメスが入るようになりました。

身体について科学的な研究がされたのは、数十年くらい前からでしょうか。筆者が大学に入学してしばらくたったくらいから、それまではおかしな精神世界のお話と受け取られていた「金縛り」や「体外離脱《たいがいりだつ》」が研究テーマとなり、研究所でまじめに脳計測が行われ始めました。また、宗教のお話と思っていた「瞑想《めいそう》」も脳科学の重要なテーマとなっていったことも、目のあたりにしてきました。

私は顔の研究を専門としていたので、身体研究の広がりを知ることに、わくわくしたものです。バーチャルリアリティの技術が進んだことから、身体の研究はさらに新しい段階に進んでいます。この本では心と身体の不思議について、心理学や脳科学で解明された知識をもとに解説していきます。

この本を書こうと思ったきっかけについても、触《ふ》れておきましょう。この本の企画《きかく》を考えていたちょうどそのときに、私は「がん」と診断《しんだん》されました。日本人の2人に1人ががんになると言いますから、ありふれたことなのでしょう。

ですが、そのような数字として頭で知る知識と自分自身の身体が受け止める現実とは、まったくの別ものでした。診断されたその瞬間《しゅんかん》から、私の世界にははっきりとした境界線が作られました。ついさっきまでふつうに生活していたのに「はい、次はあなたの番ですよ」と選ばれ、仲間はずれにされた気分です。街中に見かける今を楽しむ人々とは線を引かれ、自分とその人たちとの間に薄《うす》いベールが張られたように感じられました。

知識としての死を頭で考えていた、子どもの頃が思い出されました。私自身は、子どもの頃からなんとなく死を意識し、自分の身近にいつも死を感じていました。

私は働く母の代わりに祖母に育てられたのですが、その祖母は自分の息子、つまり私の父の弟を幼い頃に亡くしています。孫である私を育てるにあたって、幼い子を失うことを極端《きょくたん》に恐《おそ》れていたように思います。自分も幼くして死んでしまうのかなどと思いこんでいたところもあります。

しかし、死に近い病の宣告は、宣告されて「おしまい」ではありません。そこから先に、別の人生が開かれるのです。病とともに生きる、長い治療《ちりょう》生活です。それまでの「健康な人」とは違《ちが》う、病を得たうえでの新たな生き方を模索《もさく》せねばなりません。ですが、アニメのキャラクターのように、そこでは主人公がすり替《か》わったりはしません。身体が変わっても、相変わらず「私」は続くのです。

　治療をしている間に時としておそう、なんともいえない断絶感のなかで、自身の身体とその痛みについて考えなおすことになりました。それは苦しいながらも、幸いだと思うこともあります。なぜなら、新たな「気づき」を得るきっかけとなったからです。

　自身の痛みは、他人の痛みの気づきへと直結します。抗《こう》がん剤《ざい》の治療で手がしびれて財布から紙幣《しへい》やコインを出すのがままならないとき、年老いた人たちのゆっくりとした動作に気づくようにもなりました。少しだけ他人の痛みに気づきやすくなり、少しだけやさしくなれたような気がします。

　くり返しますが、この身体で感じる「死」と「痛み」は、知識で知るそれとはまったく違うものでした。自分の身体を通じた体験は、個である私にしか知ることのできない貴重な財産です。この本を読んで、痛みを恐れずに自身の身体をもとに学ぶこと、その大切さに気づいてもらえたら幸いです。

目次

本文イラスト＝(株)レンリ

序章

アンバランスな身体

金縛りはなぜおきる？

クレー《恐怖の爆発III》1939 年頃

まえがきでも触《ふ》れたように、思春期には、様々な身体の悩《なや》みが生じます。身体の急速な成長に心が追いつかないことがその原因のひとつで、心と身体の不一致《ふいっち》に悩むことが多い時期なのです。大人になるためには、自分の身体に心をあわせていかなければなりません。

身体には、他人に見られる外見としての身体だけでなく、自身の身体をとらえる「身体感覚」という、2つの側面があります。心と身体の不一致に悩むのが、後者の身体感覚です。この不一致のためにおこる不思議な現象は多くあり、それは思春期に多くみられます。まず、こうした身体をめぐる不思議な現象について、最近の脳科学の知見から考えてみましょう。

金縛《かなしば》りを科学する

「金縛り」にあったことは、ありますか？　金縛りは、寝入《ねい》りばなにおきるのが特徴《とくちょう》です。

うとうとと眠《ねむ》りに落ちる瞬間《しゅんかん》にふと目が覚めて、身体を動かそうにもまったく動かないのです。

筆者の場合は30歳《さい》くらいまで、夜中の1時以降に寝ると、必ず金縛りにあうという決まりのようなものがありました。今でも明け方近くに眠ろうとすると、時々おこります。一番ひどかった中高生の頃《ころ》は、コタツの中で少しだけ居眠《いねむ》りしていても、昼寝をしていても、うっかり油断すると金縛りになる、という感じでした。

金縛りにあっているときには、動かそうにも身体を動かすことができません。動けないだけではなく、子どもたちのさわぎ声が聞こえることもありました。怖《こわ》いから目をつぶっているはずなのに、周りの風景が見えてしまうこともありました。いつもと変わらない部屋の様子が見えるのですが、そこに通常ではおこりえないことがおきるのです。

たとえば、開いているはずのドアが、誰《だれ》もいないはずなのに突然《とつぜん》勝手に閉まる。電話機の上に、手だけがのっている。身体から切り取ったように手だけがあるのです。それは、まるでホラー映画の一場面のようでした。

実際、金縛りは「霊《れい》のしわざ」といわれることもありました。「目を開けるとお腹の上に見知らぬ女性がのっかって、こちらをのぞきこんでいた」とか「お侍《さむらい》さんがのっかっていた」とか、そんな体験談もあるそうです。

しかし金縛りは、科学的にも解明されています。眠っているときの脳波《のうは》を計測した研究によって、睡眠《すいみん》の際におきる生理的な現象であることがわかったのです。金縛りは、寝入りばなにいきなり深い睡眠に入るときにおきるというのです。

睡眠は、ふつうは徐々《じょじょ》に深い睡眠へと移っていきます。ところが金縛りがおきるときは、いきなり深い睡眠に入ってしまいます。身体は寝ている状態なのに頭はさめている、そのため、身体が脳の言うことをきかない状態になってしまうのです。

ストレスや夜ふかしなど、疲《つか》れていたり、ふだんとは違《ちが》う時間に眠ったりと、睡眠のリズムが狂《くる》うことによって、金縛りはおきやすくなるといわれています。つまり金縛りは、脳と身体のアンバランスによって生じる現象だったのです。

筆者の場合も、1時以降に眠ると金縛りがおきやすかったということは、睡眠リズムの支障に関係があったのでしょう。横向きに寝たときの方がおきにくかったので、横向きで眠る習慣がつきました。

霊か心か？　それとも脳の問題か？

じつは、私がはじめて体験した金縛りには続きがありました。身体が動かないと思ったとたん、身体が宙に浮《う》いたのです。身体がすうっと天井《てんじょう》のすぐ下まで浮かびあがり、ベッドの足元のあたりを見下ろせたのをおぼえています。気を抜《ぬ》くと天井や屋根を越《こ》えて空まで上がっていきそうで、「戻《もど》って！」と心の中で強くさけんだのでした。

それは中学2年生の頃のできごとでした。テスト勉強も厳しくなって、夜ふかしが続いた時期のことです。しかも、その体験は2晩続いたのです。当時は恐怖《きょうふ》以外のなにものでもなく、幼い頃に目にした海外のホラー映画の場面も思い出されました。

その昔、「エクソシスト」というオカルト映画の金字塔《きんじとう》ともいわれる作品が上映されました。1973年にアメリカで興行成績1位となりアカデミー賞も受賞し、日本の試写会では有名人が失神したと噂《うわさ》になったのをおぼえています。

この映画は、少女にとりついた悪魔《あくま》と神父との戦いを描《えが》いたものでした。悪魔にとりつかれて操られた少女の身体がベッドの上で何度も浮かびあがったり、寝たままの体勢で無理やり何度もジャンプさせられたりと、思いおこすとあまりにも大げさでギャグのようなのですが、自分の身体が浮いたとき、まずこのシーンを連想しました。

しかし、当然ながら、実際に自分の身体が宙に浮かびあがったわけではありません。ほんとうの身体は寝たままで、自分では、浮かびあがったようにありありと感じていたのです。

後述しますが、こうした経験を科学的に調査しようと試みた研究者がいます。そこから、これらの現象が霊ではなくて、脳のしわざであることがわかったのです。

自分の身体から抜け出す感覚は「体外離脱《たいがいりだつ》」とよばれ、それほどめずらしい体験ではないこともわかりました。体外離脱に関して1974年のアメリカと1984年のイギリスでの郵便調査の報告をまとめた意識研究者のトーマス・メッツィンガーによると、体外離脱の経験者は人口の8〜15%、学生では25%にものぼるそうなのです。4人に1人は経験したことがある計算になります。体外離脱は思春期に多い事象であることが、この調査からもわかります。

体外離脱を科学する

では、どうして、自分のほんとうの身体から離《はな》れて、身体が浮かんでいるように感じるのでしょうか？

当時中学2年生だった私は、このままベッドに戻れないのではないか、このまま死んでしまったりはしないのか、という恐怖でいっぱいでした。その格闘《かくとう》はずいぶん長いこと続いたように思えるのですが、夢と同じように、実際にはそれほど時間はたっていませんでした。起きてから時計を確認すると、寝てからたいして時間が経過していないことに気づいたのです。

体外離脱は短時間であることも一般的《いっぱんてき》で、これもメッツィンガーによると、体外離脱経験者のうち40％が5分以上は続かず、10％が30秒未満で終わるそうです。また、私が体験したように身体をコントロールできないことも一般的で、コントロールできる人は、3分の1にすぎないということです。つまり大半の体験者が、自分の身体をコントロールできないという恐怖に直面するのです。

そして、私はあれほど身体が離れすぎないようにと恐《おそ》れていたのですが、体験者への調査によれば、身体が遠くまで飛び立つことはなく、62％が近い位置から自分を見下ろしているそうです。私としては、天井をつき抜けて空高く飛んで行ってしまうことも、見下ろした先に自分の身体が見えることも、どちらも怖かったのですが……。

体外離脱で問われるのは、心と身体の関係です。では体外離脱は、心霊《しんれい》現象のように、魂《たましい》のようなものが身体から抜け出しているのでしょうか？

同じような現象は、臨死《りんし》体験でもおこります。心肺《しんぱい》停止などで意識不明の状態になったとき、気づくと自分が天井近くに浮かびあがっていて、ベッドに横たわる自分の身体や周囲の様子を見下ろしていることがあるそうです。

そうした体験を臨死体験とよびますが、そこから生還《せいかん》した人たちの体験談には、自分が蘇《そ》生《せい》される様子や、治療《ちりょう》に使われた道具、そのときの機器が示した数値、さらには横になった身体からは見えないはずの物品までも、正確に描写《びょうしゃ》できた例もあるというのです。立花隆の『臨死体験』(文春文庫、2000年)には、様々な体験が紹介《しょうかい》されています。自分が横たわっている病室の、上の階の窓から見た風景を正確に報告したという例もあります。

これは、まるで身体から抜け出した「心の目」のようなものが現実世界を観察しているかのようで、身体とは別の、魂の存在を想起させます。そこで、体外離脱の「心の目」を調べる調査が行われました。体外離脱経験者の体験談から、体外離脱の際に目の前の空間をどう見ているのかが調べられたのです。

すると、ふだんの見方とは違って、上から見下ろすような「俯瞰《ふかん》した視点」で見ていることがわかりました。それはまるで「心の目」が自分の身体を離れて天井から自分の身体や周囲を見下ろすような見方です。しかも、視野の制約もなく、部屋全体を見渡すような見方になっていました。こうしたことから、体外離脱は、まるで夢を見ているときのような、意識的な体験に近いということがわかりました。

「本当に身体から魂が飛び出して見ているから、身体の制約がないのだろう」と主張する人もいるかもしれません。ですが、スイスの脳科学者オラフ・ブランケらの2002年の体外離脱についての論文が科学研究の世界的権威《けんい》であるイギリスの学術雑誌「ネイチャー」に掲載《けいさい》されたことをきっかけに、体外離脱は「霊や魂のしわざ」ということは否定されました。そして科学的な研究の対象となったのです。

脳があやつる身体

きっかけとなったのは、ジュネーブ大学での、てんかん患者《かんじゃ》の治療中のできごとです。てんかんの発作《ほっさ》は、脳の神経信号が過剰《かじょう》に発生して脳本来の働きが乱れることによっておこり、体の動きがコントロールできなくなります。

重症《じゅうしょう》のてんかん患者に、神経信号が過剰になっている部位を調べるために、開頭手術をして脳を刺激《しげき》する電極がうめこまれました。脳を順番に電気的に刺激して、手術しても問題ない部位かを探るのです。そのときたまたま脳の側頭《そくとう》と頭頂《とうちょう》の接合部分の右《う》角回《かくかい》とよばれる部位を刺激したところ、体外離脱が生じたのです(図0-1)。

脳のこの部位を刺激すると「ベッドに沈《しず》みこんでいるような、高いところから落下しているような、そんな感じがした」とその患者は報告しました。当然ながら、患者は寝たままの状態なので、こうした身体感覚が感じられるということが不思議です。

刺激をもっと強くすると、脚と胴体《どうたい》の下しか見えないけれど、自分の身体がベッドに横たわっているのを上から見ていると報告しました。さらに刺激を続けていくと、光明《こうみょう》のようなものを感じながら、ベッドから2メートルほど浮かんで天井のすぐ下にいるように感じるというのです。

　このように、脳を刺激することによって生じることから、体外離脱は脳のしわざであることがわかったのです。ちなみにこれらの刺激によって、体外離脱だけでなく、自分の腕《うで》や脚が変形する感覚もおこったそうです。

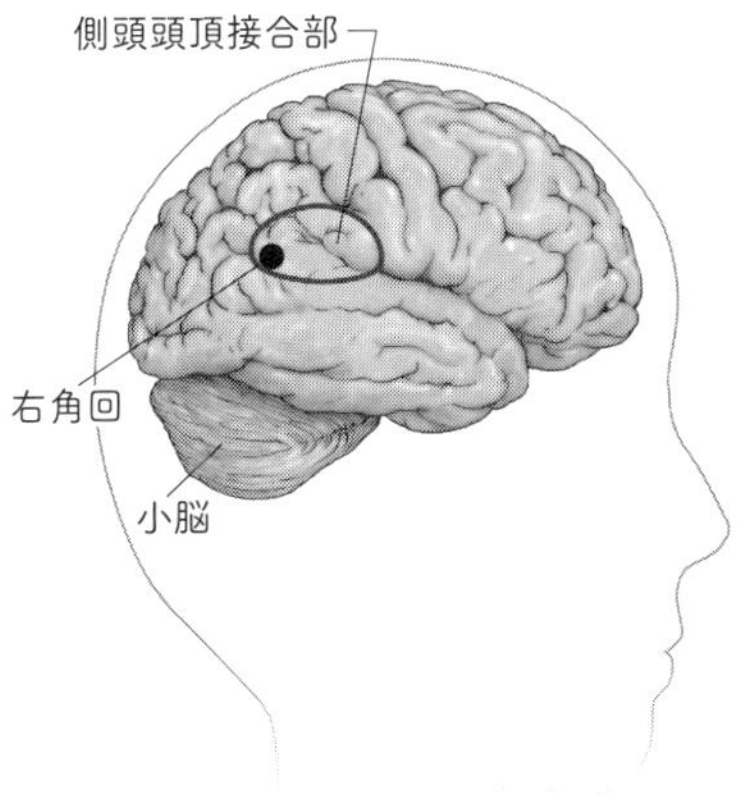

図0-1　体外離脱に関係する脳
体外離脱に関係する右角回と側頭頭頂接合部

　つまり体外離脱は、まったく突拍子《とっぴょうし》もない経験ではなくて、自分の身体を把握《はあく》する感覚がくるってしまったその延長線上にあるということになるわけです。

　これらの研究を指導してきたスイスの脳科学者ブランケによると、体外離脱には脳の特定の部位である「側頭頭頂接合部《そくとうとうちょうせつごうぶ》」が関与しているとのことです。「側頭」とは、大ざっぱにいうと、顔や表情を見出したり、言語や記憶《きおく》・聴覚《ちょうかく》がかかわるところでもあり、目の前の世界を実感し認識するための多様な感覚がかかわっている部位です。一方の「頭頂」は空間にかかわり、腕を回したり歩いたりといった身体動作にも関係しています。

このことからわかるのは、体外離脱には脳がかかわっていること、感覚・認識と身体動作という2つの脳の働きの接点が、体外離脱の原因になっているということです。

体外離脱は、脳の解釈《かいしゃく》の誤りなのです。ブランケは、体外離脱が生じるためには、脳の中で2つの誤りがおきる必要があると考えました。そのひとつは、自分の身体に関する様々な感覚の統合に失敗すること。感覚には視覚と触覚《しょっかく》、それと自身の身体の位置や身体にある筋肉や四肢《しし》の運動を受け取る感覚、内臓感覚などもあります。じつに様々な感覚をもってして身体感覚を形づくるわけですが、これに失敗するのです。

もうひとつが、目で見る視覚空間と、耳の奥《おく》の蝸牛《かぎゅう》や三半規管《さんはんきかん》から受け取るバランス感覚にかかわる前庭《ぜんてい》感覚が衝突《しょうとつ》すること。要するに、脳が身体の様々な感覚のとりまとめに失敗した結果、体外離脱というヘンテコな状態を生み出すことになるわけです。

ちなみに、一般の大学生に体外離脱して上から自分を眺《なが》めている状態を想像してもらうだけでも、体外離脱に関係している側頭頭頂接合部が活動するそうです。そしてこの脳の部分に外から軽い電気ショックを与えると、この部分だけの脳活動が抑制《よくせい》され、結果、自分の身体を想像上で動かすことができなくなることもわかったのです。

こうした科学的な研究によって、体外離脱の謎《なぞ》が解けました。体外離脱には脳の特定の部分がかかわっていたのでした。身体感覚にかかわる脳の部位が、間違《まちが》いをおこした状況《じょうきょう》だったのです。つまり、体外離脱は、誰でも体験できる脳のエラーだったのです。

こんな実験もあります。アメリカの権威ある学術雑誌「サイエンス」に掲載されたヘンリク・アーションの研究で、簡単なしかけで体外離脱を体験できることが示されました。図0-2のように、自分の身体から離れた場所を棒でつついている映像をゴーグルごしに見せられな

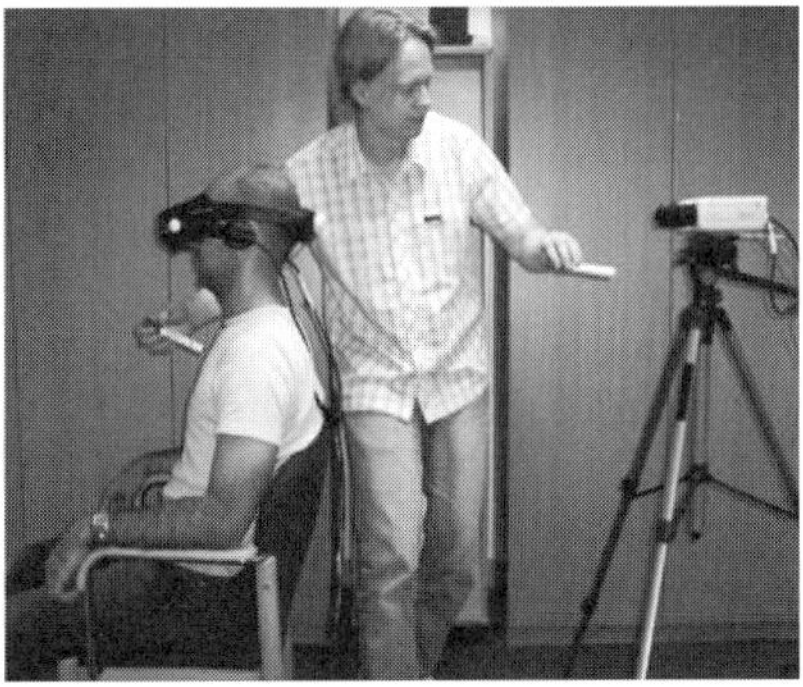

図 0-2　体外離脱を誘発する実験

身体以外の所を棒でつつく映像を見せられながら身体を棒でつつかれると，つつかれた映像の場所に身体があるように感じる（H. Henrik Ehrsson, *Science*, 317, 2007 より引用）

がら、同じタイミングで身体をつつかれ続けると、誰もがつつかれているところに身体を感じ、体外離脱を体験できるのです。

こうした研究は、自分の身体を自分のものとして感じる「身体所有感」、自分が行った行動がまさしく自分のものであると感じる「自己主体感」として、今まさに研究が進められているところです。

このように身体感覚が2つに分けられるように、私たちの身体は様々な感覚を受け止めてまとめあげているわけで、じつに複雑なしくみです。しかもそれぞれの感覚は身体にあわせて受け止められているので、脳と身体がうまくかみあわなくてはならないのです。体外離脱や金縛りは、脳と身体のバランスの問題だったのです。

脳と身体のバランスについて、もう少しみていきましょう。

感覚を遮断《しゃだん》する

心と身体のバランスを知るために、実験的にわざと心身のバランスをくずしてみると、どうなるでしょうか。極端《きょくたん》な発想として、一切の身体感覚を奪《うば》うという試みがあります。「感覚遮断実験」とよばれ、自身を被験者《ひけんしゃ》にして卒業論文のためにこの実験を行った友人がいました。すべての感覚、五感《ごかん》と運動感覚も遮断するため、極力動かず横になって過ごすという実験です。暗い部屋で目かくしと耳栓《みみせん》をして過ごすのです。ほんとうは重力感覚も遮断できるようにアイソレーションタンクとよばれる水の中で過ごすのが理想なのですが（図0-3）、とりあえずは自宅でできる程度の感覚遮断を試みたというわけです。

ちなみに心理学実験は通常、自分自身は実験者となり、実験参加者をつのって実験を行います。しかし、さすがに他人にすることははばかられる実験なので、この友人の場合は、自らが実験参加者となっていました。後に述べるこれまでの研究のように、友人は感覚遮断によって妄想《もうそう》が見えるかと考えていたようですが、それほど劇的なことはなかったようです。

図0-3　アイソレーションタンク

ヒーリング目的で感覚遮断を体験できる，アイソレーションタンク．このタンクに水を満たしてから，身を沈める（写真：123RF）

しかし、すべての感覚を遮断するということは、けっこう厄介《やっかい》なことなのです。目かくしをしても、明るいか暗いか程度はわかるし、耳栓をしても、多少の物音はもれてしまいます。風の感触や暑さ寒さは皮膚《ひふ》で感じとることができます。徹底《てってい》するためには、空調や温度管理を徹底し防音も完備した、真っ暗な独房《どくぼう》のような小部屋で過ごす必要があります。

さらに、せまい部屋で目かくしをして、横になったままの生活をしなくてはなりません。動き回ってしまったら、それだけで身体感覚を受け取ってしまうので、なるべく身体を動かさないようにすることも必要です。食事も最低限のものを他人に食べさせてもらうということになります。こうした状況で、何日間か過ごすのです。

感覚遮断実験は、1950年代にカナダで行われたのが最初です。この感覚遮断の最初の実験にかかわったのは、心理学を学んでいたら誰もがその名を知るほど著名な脳科学者ドナルド・ヘッブでした。知的興味で始めた私の友人とは違い、当初のその研究は、どろどろとした背景がありました。朝鮮《ちょうせん》戦争が勃発《ぼっぱつ》していた当時、アメリカの敵対国である北朝鮮や中国が行っていた「洗脳《せんのう》」対策のためだったのです。

当時は捕虜《ほりょ》を洗脳するために感覚遮断に近い状況に追いこみ、自分たちの思想をたたきこんでいたといわれています。こうしたことへの対策のため、さらには宇宙開発に向けて人が孤独《こどく》に耐《た》えられるかを調べるため、軍事予算がつぎこまれたのです。

感覚遮断の研究が洗脳とかかわっていたこと自体、おどろおどろしい感じですが、当時の研究者たちもこの実験には、知的好奇心《こうきしん》よりも恐怖心を強く抱《いだ》いていたように思えます。実験に参加した学生たちも、感覚のない恐怖を克服《こくふく》するため、長い時間を持ち物なしでできるような暗算の練習だとか、ふだんできないことを実験中にやってみようと、準備して挑《いど》んでいたふしがあります。

実験に参加する学生たちのこのような心もちは、結果に影響《えいきょう》を与えていたかもしれません。少なくとも先述の私の友人は、興味津々《しんしん》で自ら実験をしようと考えていました。日本には座《ざ》禅《ぜん》や瞑想《めいそう》などの文化的な背景があるため、感覚を遮断した世界はまったくの未知ではなく、それほど恐怖には感じなかったのかもしれません。

しかし、感覚を遮断するような文化をもたない欧米《おうべい》でも、感覚がないことを積極的に体験しようとする動きに一転するのです。ニューエイジとよばれる、東洋的な発想が欧米社会に受け入れられるようになった1960年代に、感覚遮断を楽しむという雰囲気《ふんいき》に変わりました。究極の感覚遮断を求めて、重力感覚や平衡《へいこう》感覚、身体感覚も積極的に遮断する装置が作られたのです。先述の、アイソレーションタンクという、温度を管理した水の中に浸《つ》かって過ごすという装置も考案されました。こうした活動を牽引《けんいん》した、アメリカの脳科学者ジョン・C・リリーの考案によるものです。水の中に浮かんだら、重力や身体感覚からも自由になることができるのです。

ちなみにこのアイソレーションタンクは、ヒーリング（癒《い》やし）目的で市販《しはん》されています。2000年頃にオランダのアムステルダムの街を歩いていたら、アイソレーションタンクのヒーリングサロンがあって驚《おどろ》いたことをおぼえています。

癒やしか、修行か

ですが、感覚遮断は、ヒーリングになりうるのでしょうか？　すべての感覚を一切遮断したら、どんなことがおきるでしょうか。

感覚遮断の実験からまずわかったことは、感覚がないことに、人は耐えられないということでした。当初、実験を続行できない人が多発したのです。被験者は、精神的に健康でも、あるときを境に幻覚《げんかく》や幻聴を感じるようになってしまったのです。

ただし、実験によって幻覚の発生には違いがありました。かすかな光や身体感覚が残っているとそれが幻覚の原因になっている、実験の失敗ではという批判もあります。それでも、感覚遮断で幻覚が生じるのは一般的なこととされています。

感覚遮断で幻覚が見えたということから、研究目的というよりも知的好奇心で、幻覚そのものを追い求めようとする人たちがあらわれました。日常と異なる「変性意識」を追求しようとする人たちで、感覚遮断をもっとつきつめようということになったのです。

感覚遮断は肉体を極限の状態に置きますが、これは仏教における密教《みっきょう》の究極の修行である「即身成仏《そくしんじょうぶつ》」を思いおこさせます。地面に穴を掘《ほ》って息ができる状態で土にうめられ、座禅を組んで水も食物もとることなく、念仏を唱えながら即身仏になることが、かつて日本でも行われていました。

海に近い地域では、西方浄土《さいほうじょうど》にある極楽《ごくらく》に行くという名目で、僧侶《そうりょ》が水も食物もない船で沖《おき》に流される「補陀落渡海《ふだらくとかい》」という風習があります。私は和歌山県・熊野《くまの》の補陀洛山寺で、ぎりぎり1人が横になって入れる程度のせまい船室で、舵《かじ》も動力もなにもない「渡海船」が展示されているのを見たことがあります。

選ばれた行者はこの小さな船に乗りこみ、沖へと流される潮流のあるところまで伴走船《ばんそう》で連れ出され、そのまま流されるということが、平安時代から鎌倉時代にかけて行われていたそうです。沖に流されてそのまま成仏するわけですが、その船は、乗りこむというよりは外に出られないようにせまい船室に閉じこめられているようにも見え、見ていて苦しくも感じられました。

これらの行為《こうい》は感覚遮断に似ていて、しかも死を意識することから「臨死体験」に近いともいえるでしょう。じつはこの「臨死体験」で体外離脱や幻想を感じるのは、感覚遮断に近いICU(集中治療室)の環境《かんきょう》によるものだとする主張もあります。集中治療室の中で身体が拘束《こうそく》され感覚の少ない状況が、臨死体験でいわれる妄想や幻覚を作りだしているということで、「ICU症候群《しょうこうぐん》」と名付けられているのです。

一方のヒーリング目的で感覚遮断をするアイソレーションタンクは、厳しい修行を積んだ瞑想者や宗教家の感じる世界を手軽に体験したいという側面もあるのかもしれません。そこにはあの世、あるいは異次元の世界を体験したいという発想があるわけです。

とはいえ感覚遮断は、身体感覚を強引になくすという荒業《あらわざ》です。バランスを失った心が、妄想や幻覚などを生み出す可能性があります。筆者は感覚遮断を体験していませんが、子どもの頃《ころ》にジェットコースターなどの絶叫《ぜっきょう》マシンが好きだったことを思い出します。世の中には絶叫マシンのみならず、高いところから落下するバンジージャンプなどもあり、日常と異なる身体感覚の体験への興味は、多かれ少なかれ誰もが持つことなのでしょう。心と身体の関係は、自身で体験してみないとわからないという点も大きいのです。

夢と身体

次に、外の世界から隔絶《かくぜつ》された「夢」の世界から、身体について考えてみましょう。

子どもの頃の私は、現実と夢との境界が希薄《きはく》でした。現実の生活の楽しみよりも、本の世界や空想に夢中で、特に夢を見ることに強くひかれていました。

いくつの頃かは定かではないのですが、まだ幼くて夢を見ることができなくて、眠ったときに見る夢というものにあこがれていたのをはっきりと記憶しています。祖母にどんな夢を見ているのかをたずね、夢と空想の違いをしつこく聞きだしていたこともおぼえています。

当時の私がなぜ夢を見られなかったのか、本当のところは謎ですが、夢を見ても朝までその記憶がもたなかったのではないかと思います。

忘れもしない人生初の夢は、自宅から近い観光地の江《え》の島《しま》のものでした。島内にある、「エスカー」とよばれるエスカレーターに友達といて、やたらとカラフルで赤いシーンだったのを今でもおぼえています。しかし、それがほんとうの夢なのか、単なる願望の塊《かたまり》から出た想像だったのかについては、今でも区別がつきません。

私の好きなお話のひとつに、中国の有名な思想家・荘子《そうし》の「胡蝶《こちょう》の夢」があります。蝶になった夢の話です。蝶になって自由に飛び回っていたときには、あまりに楽しく夢の中で自分を忘れている。突然覚めると、まぎれもない自分に気づく。そこでふと思うのです。蝶でいたのが夢なのか、蝶が今の自分を夢で見ているのか……。

大学生の頃に東洋哲学《てつがく》の授業でこの書と出合い、子どもの頃から抱《かか》えていた素朴《そぼく》な疑問が、蝶の話として美しく書きだされていたことに驚きました。紀元前というはるか昔から、夢と現実の境界は不思議なものと考えられていて、その大昔の考えが漢文で読めることにひどく感動したのです。

そして21世紀になっても、この話にある2つの問題は、未だに脳科学や哲学の間で議論され続けています。2つの問題とは「夢を見ている間は、自分のことを忘れている」ということと、「夢と現実、どちらが現実かを証明するのは難しい」ということです。

夢は不思議です。若かった頃は、もっと自由な夢を見ていたように思います。それが歳をとるにつれ、なんとなく現実の続きだけになってしまったようにも感じます。さらに、くわしくは後述しますが、病気の治療で身体が満足に動かなかったとき、視覚が消えて、言葉のやりとりだけが浮かんでいるような夢を見るようになったのです。

それがきっかけで、夢は人それぞれ違う形で見ているのかもしれない、と考えるようになりました。それなら、視覚のない人たちは、いったいどのような夢を見るのでしょうか？

身体に縛《しば》られる夢

空想世界のように自由に作りあげられそうな夢ですが、じつはそれぞれの身体に縛られていることがわかっています。つまり夢は、身体が受け取る感覚をもとに作りあげられるのです。

先にも触れたように、病気の治療で身体が満足に動かなかったとき、筆者もこんな夢体験をしました。強い薬の副作用で指先や足先に麻痺《まひ》が残り、手足など末端から受け取る感覚が薄まる時期がしばらく続いたときのことです。

ふと気づくと、夢の世界が変わっているのです。いつもは視覚の印象が強い夢を見るのですが、そうした視覚の感覚が夢から消えていました。色がないうす暗がりのような世界で、形もなくて不定形。そんななかで会話だけがあるような、言葉がぷかぷか浮かんでいるような、不思議な印象の夢を見たのです。

ハーバード大学医学部で夢の研究を続けてきたアラン・ホブソンによれば、脳卒中《のうそっちゅう》や脳血栓《のうけっせん》などで空間知覚と身体感覚の統合に障害を受けた患者では、夢を見ることができないと訴《うった》えることもあるそうです。

眠っているときの身体感覚が、夢の内容に影響を与えるとのこと。夢では水の中を泳ぐように空を飛んだり高いビルから飛び降りても平気でいたりと、日常からかけ離れた行動をとることが多々あります。

「なんだ、やっぱり夢は自由じゃないか」と思うかもしれませんが、これらは眠っているときの身体感覚によるのだそうです。横になったバランス感覚を、起きているときよりも重力から自由な感覚と、身体が解釈している可能性があるのです。バランス感覚を作る、脳の前庭系《ぜんていけい》のしわざです。

つまり夢の中で、身体が動かない感覚を味わうことが多いというのも、身体感覚の影響といえましょう。夢を見るのは深い睡眠のときで、身体が弛緩《しかん》しているため、身体を動かそうにも自由に動かすことができないためです。

微妙《びみょう》な身体感覚の変化で夢の内容が変わるとしたら、ひょっとすると人によって、夢の作りはまったく違うのかもしれません。他人と夢の世界を比べてみるのも、興味深いことではないでしょうか。

夢研究の歴史

こうして改めて考えてみると、夢は不思議な現象であることがわかります。

そもそも視覚や聴覚といった感覚は実際にはなにも受け取っていないのに、夢の中には様々な色彩にあふれた空間と人との会話があって、それは妄想や幻覚と同じ現象のようにも思えます。

しかし心理学の世界では、夢と妄想は区別されます。夢なら誰でも見ますが、妄想や幻覚はふつうの人は体験しにくいのですから、当然ともいえましょう。一般的な現象である夢は、意識とは何かを考えるうえでも重要な対象です。

夢を科学的に調べるきっかけになったのは、時を同じくしてアメリカとフランスという別々の場所で行われた、別々の実験の偶然《ぐうぜん》の発見によるといわれています。１９５０年代のことでした。

フランスで、ネコが学習するときの脳の活動を調べているところで、不思議な活動が発見されました。身体の筋肉は弛緩していて、どう見ても眠っている状態にあるにもかかわらず、非常に強い脳活動が観察されたのです。

このときアメリカでは、ヒトの眠りの研究が行われていました。眠っているときの目の動きから、眠りの深さを調べようというものです。眠りが深まるにつれて目の動きは静かになるであろうという仮説のもとに研究が進められたのですが、意外なことに、ぐっすりと寝入っているはずのときに、目の動きが活発になることが観察されたのです。

この活発な目の動きを、急速眼球運動《きゅうそくがんきゅううんどう》といいます。その原因を調べようと、ネコの脳波の成果もあることから、ヒトで眠っているときの脳波が調べられたのです。

その結果、深い眠りのときには身体は弛緩する一方で、脳は活発に活動し、急速な目の動きを引きおこすことがわかったのです。こうした目の動きが観察されたときに無理やり起こされると、夢を見ていたと報告することもわかりました。

夢に関する研究では、かなり意地の悪い実験も行われています。深い睡眠だけを取り除いたら、どうなるかが調べられました。脳波を計測する機械を着けて眠ってもらい、深い睡眠になったときに起こすのです。深い睡眠は浅い睡眠から徐々《じょじょ》に進むため、深い睡眠でじゃまをすれば、再び浅い睡眠に戻ります。そしてこれをくり返せば、浅い睡眠だけの眠りになるのです。

こうした睡眠を数日にわたってくり返していくと、深い睡眠を回復するように、日を追って深い睡眠におちいる回数が増えていくそうです。必然的に実験中に起こされる回数が増えていき、それをさらに起こしていくと実生活に影響《えいきょう》が出るようになります。集中力がなくなりイライラして精神的に不安定となり、体調をくずすこともあるそうです。

夢をともなう深い睡眠は、健康のためには欠かせないともいえます。夢は、その日におきたことからむだな情報を取り除き、記憶を整理する働きをしているという説をハーバード大学医学部の精神科教授アラン・ホブソンは唱えています。夢を見ることは、心身の健康に欠かせないことなのです。

夢をあやつる、明晰夢《めいせきむ》

夢のお話を、もう少し続けましょう。子どもの頃から夢に関心を持っていた筆者ですが、夢を見ることがつまらなくなっていった時期がありました。あるとき、夢を見ている最中に「これは夢だ」と気づいたのです。みなさんのなかにも、夢の中で夢を見ていることに気づいたことのある人はいるのではないでしょうか。

夢のストーリーを自分の好きなように作り変え、夢をあやつることは「明晰夢」とよばれます。夢を自由にあやつることができるなんて、とても魅力的《みりょくてき》ですね。

そこで特殊《とくしゅ》な装置を使い、明晰夢を見ようとした研究者がいます。研究を率いたのは、スタンフォード大学教授のスティーヴン・ラバージでした。30分刻みで「ご注意！　これは夢だ」とつぶやく音声をヘッドフォンから流す装置を着けて寝るのです。とても眠れたものではないと思いますが、まずは夢に気づかせ、そのうえさらに赤い輪のフラッシュを光らせ、この赤い輪を夢の中に侵入《しんにゅう》させようともくろんだのです。

哲学者であるトーマス・メッツィンガーが試してみたところ、夢の中の爆発《ばくはつ》するシーンとしてこの赤い輪があらわれ、何度試してもひどい悪夢ばかり見たそうです。こうした機械のいくつかは、今でも海外の通販で買えるようです。

市販品の元祖は、アメリカの睡眠研究者の手で作られたという「ノバ・ドリーマー」とよばれる装置です。夢を見るときに生じる急速眼球運動で始動して、2〜3分後にLEDの赤い光がフラッシュして、閉じたまぶたから赤い光の点滅《てんめつ》で夢を見ていることを告げるのです。ヨーロッパで開発された「レム・ドリーマー」では、点滅する光と電子音で夢を知らせます。夢の中の自分に光や音で「これは夢だ」と信号を送って夢に気づかせ、明晰夢に入るというしくみです。

睡眠状態を計測する装置も着いていたりするなど興味深い機械ではありますが、この機械で悪夢を見たメッツィンガーは、寝ている間に機械を投げだしていたこともあったそうで、心身の健康のためにはゆっくり眠ることとの方が大切なのでしょう。

夢をあやつることにあこがれる人もいて、明晰夢グッズが売れるわけですが、研究によると、夢のあざやかさが増すにつれて恐怖やストレスも増し、夢世界の矛盾《むじゅん》が発見され、結果、明晰夢になるそうです。

筆者の経験では、朝方の夢の終わり頃に、夢に気づくことが多いようです。空を飛んでいる最中、あるいは、何かから逃《に》げている真っ最中に「やっていることが馬鹿馬鹿《ばかばか》しくておかしくない？」と、夢の矛盾に気づきます。そのとたん、あせったり夢中になっていたりしていたのが「なんでこんなことしているの？　夢じゃないの！」となって、急速に気持ちが冷めていくのです。夢の世界は崩壊《ほうかい》して、逃げることも終わり、そこから先は、自分で作り変えた物語世界となっていくのです。

夢は荒唐無稽《こうとうむけい》であるからこそおもしろいのに、眠りながら考えるお話はなんとなく自分の身の丈《たけ》に合ったものに変わってしまいます。気づいたとたん、夢はなんとなく惰性《だせい》になって、なんともつまらないと思うのです。夢をあやつるあこがれとは、まったく逆の気分でした。

明晰夢を作りあげる脳

明晰夢を見ているときの脳の働きを調べた、ラバージたちの実験があります。明晰夢の経験を積んだ人を募集《ぼしゅう》して、眠りにつく前に、明晰夢が始まった合図を決めて眠ってもらいます。明晰夢が始まったら目を上下に素早く2回動かす、覚醒《かくせい》しつつあるときには4回動かすといった合図です。合図が来たところで脳活動を測定します。

その結果、明晰夢の始まりは、深い睡眠におちた最初の2分間であること、急速眼球運動が一時的に高まることや、深い眠りの間に短期間生じる意識の覚醒とも関係があることがわかりました。

要するに、眠りに落ちて休息しているはずの状態にもかかわらず、脳の大脳皮質《だいのうひしつ》の全般が短期間に急に活動したときに、明晰夢はおきると考えられているそうです。

少し複雑になりますが、くわしい脳の働きについてみていきましょう（図0-4）。この明晰夢を牛耳《ぎゅうじ》っているのは、脳の中の「前頭前野《ぜんとうぜんや》」とよばれる部位です。前頭前野のなかでも重要なのが、「背外側《はいがいそく》前頭前野（DLPFC）」です。

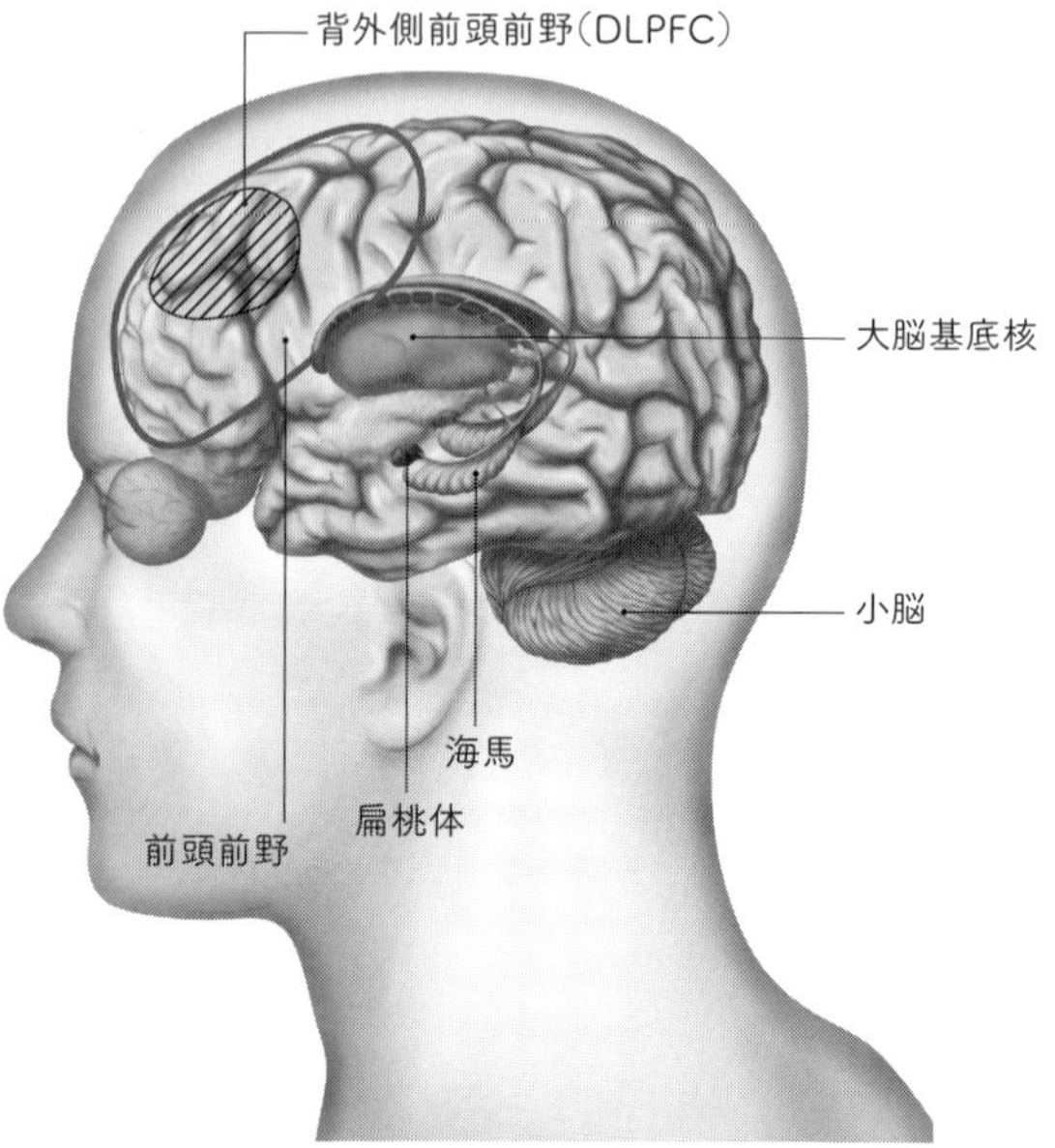

図 0-4　明晰夢に関係する脳

明晰夢に関係する前頭前野の中の背外側前頭前野（DLPFC）と，背外側前頭前野と関係の深い皮質下である大脳基底核．近くに記憶にかかわる海馬と情動にかかわる扁桃体がある

「前頭前野」は複雑な認知機能である、意思決定や抑制《よくせい》機能（目の前のほしいものにあちこち手を出さずに我慢《がまん》すること）、作業記憶（ワーキングメモリ。仕事の手順などを頭の片隅《かたすみ》にとどめながら作業をするときに使う記憶）にかかわります。

これらの働きは脳の表面にある「皮質」で行われますが、脳の奥には「皮質下《ひしつか》」（大脳辺縁系《へんえんけい》）とよばれる情動《じょうどう》反応などの原始的な働きを担当する部位があります。背外側前頭前野は、前頭前野を中心とした皮質と皮質下(大脳辺縁系)の連携《れんけい》を行い、複雑な心の働きと、身体を動かす運動にも関与しています。

夢がどれくらい明晰になるかは、この前頭前野と他の脳の部位との連携にかかっているといわれています。先出の夢研究の重鎮《じゅうちん》であるハーバード大学医学部の精神科教授アラン・ホブソンは「前頭前野背外側部と脳の下の方にある原始的な部位、脳幹辺縁系との絶妙なバランスが明晰夢の鍵《かぎ》だ」と主張しています。

さて、先ほど「私の明晰夢はつまらなかった」と書きましたが、じつは一度だけ、ありありと恐怖に満ちた明晰夢を見たことがあります。明晰夢のトレーニング本を読んでまねしたときのことでした。

その本では、夢の中にいることに気づいたら、「夢の中の自分の手のひらを見ろ」というのです。簡単なことだとチャレンジしてみたのですが、とても力が必要で、ようやく手のひらを広げて目の前に持ってきたところ、なんともいえないあざやかな光が手のひらから飛び出してきて、とてつもなく恐ろしく感じました。

今から思い返すと、これ以外の明晰夢では、夢と気づいたとたん、天から見下ろす俯瞰的《ふかんてき》な視点で状況を眺めていたように思います。それと比べてこの夢は、自分の身体目線でした。つまり、体外離脱のように俯瞰した客観的視点で自分とその周囲の状況を眺めていたときにはありありとした感覚も怖さも感じなかったけれど、自分の身体視点から「自己主体感」をもって見ようとすると、そこにありありとした恐怖が感じられたということなのです。

夢は、この客観的視点と自分の身体視点、この2つの視点を行き来しているのではないでしょうか？　この問いへの答えは科学的には未解決ですが、頭の中で作りあげた夢の世界でさえも身体をもとに感じるというのは、不思議なことです。

うつろう身体感覚

では次に、ふだんの生活の話に戻って、身体感覚について考えてみます。

私は高校生の頃、突然、奇妙《きみょう》な身体感覚におそわれたことがありました。成長過程で心身のバランスをくずすのは、よくあることだと思います。私の場合、いつまでたってもなじめない高校生活に苦しみながらクラスメートの中にいるときにおきました。

友達と泊《と》まりで遊んで疲《つか》れた朝、現実と自分の間に布が一枚かかっているような、遊離《ゆうり》した感じにおそわれたのです。すべての感覚に膜《まく》がかかっているようでした。夏休みに入った頃のことで、夏場にひどく疲れたせいにも思えましたが、なにかが違う、あらゆる感覚がまるっきり衰弱《すいじゃく》してしまったように感じられました。

もちろん目は見えるし、耳も聞こえる。痛みも感じます。それなのに、周りの世界がすべてはるかかなたに去って行ってしまったような、現実世界が乖離《かいり》したような、不思議な感覚でした。

そのときの経験を思いおこすと、「今、ここに生きていて、それは決して夢ではない」という現実感があるとするならば、その基準になるのは身体感覚だろうと考えます。たとえば、信じられないことがあって、それが夢か現実かを確かめるときに、頰《ほお》をつねってみるようなものです。

後から知ったのですが、私が体験した感覚は「離人《りじん》」「現実感消失症」とよばれ、強いストレスや疲労《ひろう》でもおきることがあるそうです。これが長く続くと心の病気と診断《しんだん》されることもあり、うつ病や統合失調症患者に生じるとのことですが、私のように一過性《いっかせい》で消えていくタイプの経験は、大学生の50%におきるという1960年代イギリスの報告もあります。

このような、現実感が薄れていく脳のしくみはまだわかっていないのですが、錯視《さくし》(目の錯覚のこと)を使って現実感を調べる試みが2017年の学術誌に発表されました。色があせて見える錯視を使った実験です。錯視で見た目を変容させ、見ている対象の現実味がどの程度減じるかを答えてもらい、脳の活動を計測したのです。

その結果、(特定の神経伝達物質が多い)一部の人では「色があせた」と現実感を失った知覚をしているときに、特徴的な脳の活動があることがわかりました。前頭葉《ぜんとうよう》(右背外側前頭前野)と頭頂葉《とうちょうよう》の神経活動が高かったのです(図1-9参照)。つまり現実味を感じるには、空間処理にかかわる頭頂葉と、脳の原始的な部位からの流れを受け止めて高度な認知を統括《とうかつ》する前頭葉のかかわりが、鍵《かぎ》となるようです。

脳の働きについてはまだまだ今後の研究にまたねばなりませんが、身体を通じて得た感覚と、それを受け止めて理解する脳の働きこそが、心と身体のバランスを支えるものであると考えられます。

15歳《さい》は人生最悪のとき

これまで述べてきたように、自身の身体感覚のもろさと不安定があったからこそ、私は心理学を学ぼうと思い、なかでも感覚の研究に興味を持ってきたのかもしれません。身体にかかわる体験をふり返ると、思春期のアンバランスが一番心に残り、我が人生最悪のときにも思えます。

こうした心身のアンバランスによるいらだちは、一般的にあてはまることだと思います。私もなんとなく毎日イライラして過ごしていて、なんにでも過敏《かびん》に反応して、すぐに感情が爆発する。周囲に問題がおきるのを待ちかまえていて、問題がおきればすぐに親のせいにする。周りから見ても、手の付けられない困った子どもだったことでしょう。

ある程度大人になって世の中の事情は少しわかってきたけれど、まだまだうまく対応しきれずに、ものごとが思ったように進まないことにいらだっていたのかもしれません。こうした思春期の心的事情には、科学的な背景があります。後にくわしく説明するように、思春期のイライラの原因は脳にあり、感情をコントロールすることが大人よりも未熟なのです。

たとえば「こんなはずではなかった……」と、気に食わないことがあったとき、感情のコントロールは難しくなります。私の場合は、高校受験の失敗がありました。

誰の挫折《ざせつ》もそうですが、他人からみるとありがちなことでも、当の本人にとっては人生の一大事だったりするものです。輝《かがや》かしい青春はこれからの時期、誰もがふつうに通っていく扉《とびら》が開かなかったことは、思いもかけない一大挫折です。すべての人生の扉が閉まってしまったようにも思えました。始まったばかりの人生の開始に汚点《おてん》がついてしまい、なにもかもこれで終わり。そんな思いにとらわれ続け、蟻地獄《ありじごく》にはまったような日々をもんもんと過ごしました。

これらは当人からの目線の話で、かたわらから見れば、たいしたことではないようにみえると思います。でも、他人にとっては「どうでもいいこと」でも、思考がストップして停滞《ていたい》してしまう。自分は、なにを間違えたのか？　どこで選択《せんたく》をあやまったのか？　どうして自分だけ、違う事態にいるのだろうか……？

これは感情の空回りのように思えます。感情の空回りや爆発は、誰かを傷つけることになりますし、一方で自爆テロのように自分自身をも傷つけることにもなります。放置しておくと、どんどん自分を追いこむことになってしまうのです。自分の力だけでは出口がうまく見つけられないこともあるのが思春期です。

青春時代は出会いも多くなり、一見すると楽しいことがいっぱいのように思えます。青春を舞台《ぶたい》にした漫画《まんが》とか映画とかドラマでは、青春時代はふわふわとした夢みたいなお話があちこちに転がっているようなイメージでもあります。それがなおのこと苦しみを作りだすわけで、当然のことですが、実際の15歳になってみると、想像とは違う現実に遭遇《そうぐう》するわけです。これらは、人間の社会性の発達によって生じることなのです。

たとえば幼児期に「人見知り」で困ったという話はよく聞きます。生まれてから培《つちか》ってきた親とのつながりから、家族以外の人と出会うという、目の前の社会が広がるときにおきる発達上のトラブルです。これは社会性の発達の最初の一歩のできごとで、発達といえば子どものことととらえがちですが、発達は死ぬまで続きます。

幼児期が親から家族以外の人々に出会う発達であるとすれば、学童期では友達社会に入る発達が、思春期では異性の友人やより広い社会グループへとつながりを広げる発達が待っているのです。

そしてそれぞれの時期には必ず、「人見知り」と同様のトラブルが生じる可能性があるのです。「いじめ」や「ひきこもり」もその中に入るでしょう。しかし子どもの人見知りは発達上の課題のひとつとみなされています。ところがそれ以降の課題——友達をつくる・グループをつくる・社会の中の一員となる——は、発達上の課題として一般にみとめられていません。結果、これらは誰もがふつうに通過するものであり、それに沿わない場合はふつうではないとみなされてしまうのではないでしょうか。

これらを「人見知り」と同じような発達上の課題として扱《あつか》い、うまく通過できないことは、誰にでもおきる可能性があると考えたらどうでしょう。それは必然的におきることであり、決して他人事ではないこととして、ひとりひとりが向きあうことができるのではと思うのです。

話がそれましたが、身体は個々の占有物である一方で、人とのつながりを保つものでもあります。身体を通して人とつながること、身体を通して人の痛みを知ること。以降の章では、そんな話もしていきましょう。

第1章

人それぞれの身体感覚

ドガ《ダンス教室》1873-75年

世の中には運動神経の良い人や悪い人、感覚の鈍《にぶ》い人や特殊《とくしゅ》な感覚を持つ人、様々な人がいます。見かけの身体も人それぞれですが、使いこなし方も人それぞれです。与えられた身体をうまく使いこなすよう、私たちは生まれてからずっと学習しています。それはまるで自転車を乗りこなすようなもので、身体を使いこなすには学習が必須《ひっす》なのです。この学習により、たとえ身体が満足でなくても、その人らしい世界を作りあげることができるのです。また、病気や事故で身体の一部が動かなくなってしまったとしても、再び学習しなおすこともできるのです。そんな人それぞれの身体について、この章ではみていきます。

心理学を学ぶ洗礼、鏡映描写《きょうえいびょうしゃ》実験

私が子どもの頃《ころ》、運動神経が鈍いことが最大の悩《なや》みのひとつでした。走るとき、手足をどうあわせて動かせばいいのか、考えれば考えるほどわからなくなります。運動会という悪夢がこの世にあることを、うらんだほどです。

運動会では、ダンスが一番の悪夢でした。同意見の人は多いと思います。頭で考えられないような動きが出てくるのです。今でも思い出すのが、「立ち止まってスキップする」という動作です。「スキップは自然に歩けばできるのに、前にふみ出せないでどうやって足を動かせばいいのだろうか？」と考えこんでしまいました。

それと連動したのかどうか、小学校高学年のときには、自分の動作をきちんと頭で把握《はあく》していなければならないような気分になり、走り高跳《たかと》びをするとき、踏《ふ》み足を左右どちらにすればよいのかがわからなくなって、バーの手前で跳べなくなってしまいました。同じく、小さい頃から習っていたピアノでは、音符《おんぷ》と指の関係が気になってしまい、まともに指が動かせなくなってしまったのです。

そんな混乱がなぜおきたか、そしてそれがいつ消失したかは忘れてしまったのですが、大学に入学して心理学の実験演習で出合った「鏡映描写実験」が、こうした問題の根本に気づかせてくれたのでした。

鏡映描写とは、大学で心理学を専攻《せんこう》したら必ず受ける洗礼に近い実験です。これがきっか

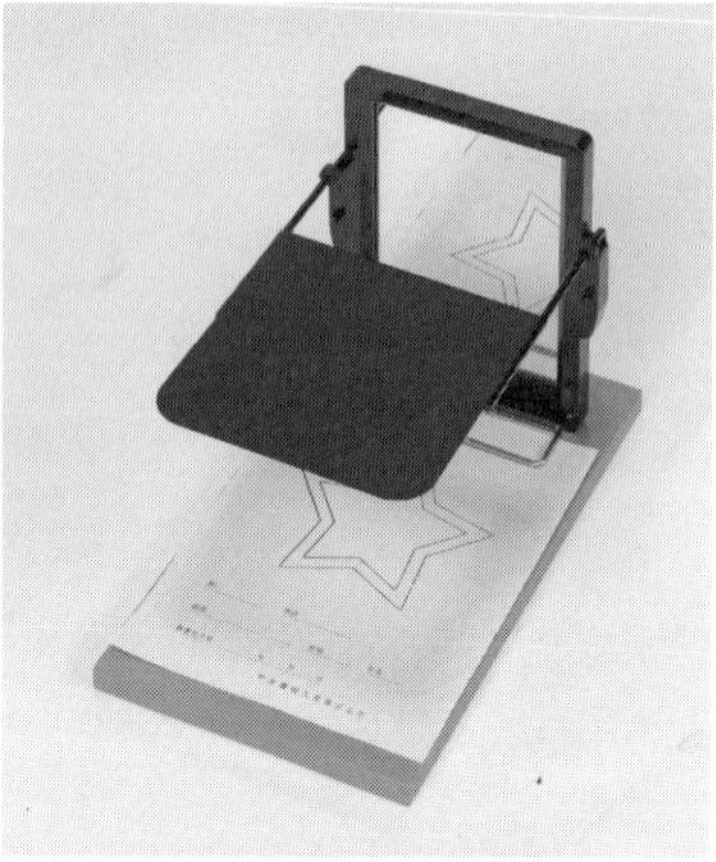

図1-1　鏡映描写実験

心理学実験で使用される．鏡に映し出された左右反転した像を見ながら，手元の星型を鉛筆でなぞる（写真提供：竹井機器工業株式会社）

けで心理学に幻滅《げんめつ》する学生も出るといわれるほど、地味でつらいものでもあります。

図1-1のような特殊な装置を使い、鏡に映った星型の軌跡《きせき》を、周囲にある細い枠《わく》に沿ってなぞるのです。左右反転した鏡の映像を見ながら鉛筆《えんぴつ》でなぞるのは難しく、まっすぐ進もうにも、細い通路をギザギザと左右に蛇行《だこう》しながら少しずつ進むだけ。しかも星の角に行くたびに、次に行く方向を見誤ってとんでもない方向に行ってしまう。行動修正に骨が折れ、ギザギザの蛇行線ができあがり、完成までにかなりの時間がかかります。

その間実験者は、完成までの時間を黙《だま》ってストップウォッチで測ります。被験者《ひけんしゃ》は、学習の効果を調べるために、この作業を何度もくり返させられるのです。学習を重ねることによって作業にかかる時間が減ることをグラフにするのが課題で、こうした地味な作業が心理学の基本だということを学びます。

これは感覚運動学習（視覚と運動を結びつける学習）を調べる実験ですが、私自身がこの実験で学んだのは、「頭で考えすぎると、動けなくなる」ということでした。実験演習では、星の角のところで抜《ぬ》け出《だ》せない人が続出し、できるだけ早く実験が終わるようにと、それぞれがいろいろな方法を駆使《くし》していました。それこそ鏡をまったく無視して描《えが》くとか、やっかいな角をあらかじめ把握しておくとか。

しかし結局は、身体でおぼえることの必要性を学ぶのです。身近なところでいうと、何度も失敗した後で、なにも考えずにペダルをこぎだしたら、ふっと自転車に乗れるようになった。そんな感じが近いでしょうか。

感覚運動学習は、心理学の重要なテーマのひとつです。ですが運動となると、たとえば自転車乗りのように大がかりになりますが、鏡映描写は教室でも実験しやすいのです。

感覚運動学習でもっと過激な実験に、「逆さめがね」とよばれるめがねをかけるものがあります（図1-2）。科学博物館などでも体験できるところがありますが、プリズムを使って視野を上下または左右反転させるめがねです。私が実験実習の授業を担当したときには、鏡映像実験の後に逆さめがねをかけてもらいましたが、その印象が強烈《きょうれつ》で好評でした。動物のなかでも身体感覚が発達しているサルは、このめがねをかけると動けなくなるといいます。

実験で視野を左右や上下に反転させるのは、単におもしろいからだけではなく、れっきと

図 1-2　逆さめがね

逆さめがねのしくみと，見え方のイメージ（画像提供：日本スリービー・サイエンティフィック（株））

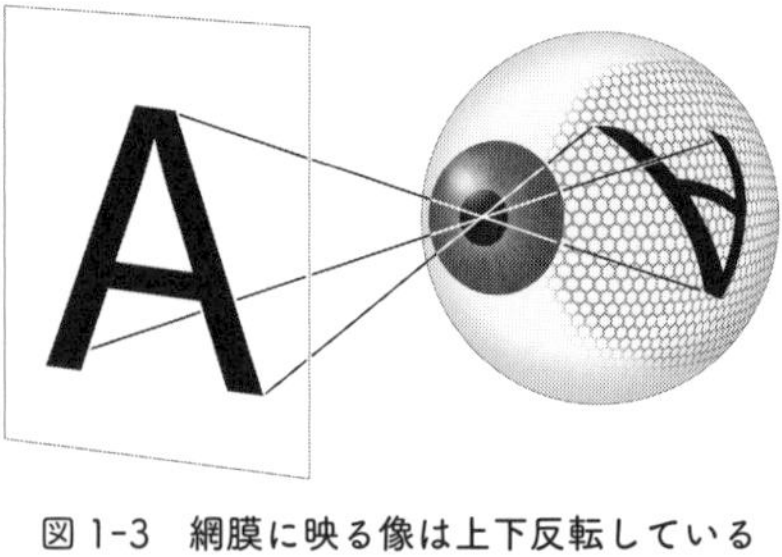

図 1-3　網膜に映る像は上下反転している

網膜に映る像は上下反転しているため，上下反転した逆さめがねをかければ正しい像が網膜に入ることになる（Lindsay & Norman, 1997 より改変）

した理由があります。そもそも目の網膜《もうまく》に入る映像は、世界が上下逆転しているのです（図1-3）。それなのに、世界は逆さではなくて正立して見える。その不思議を解決するため、「目に入る映像を正しくしたらどうなるだろう？」という発想で始まったのが、逆さめがねの研究です。

逆さめがねの驚《おどろ》き

目の前の世界と逆さの世界を、どのように私たちはつなげているのか？　それこそが感覚運動学習で、その逆バージョンを実験的に行うのが逆さめがねの世界です。めがねをかけて見る世界は、驚きの連続です。運動音痴《おんち》な私の経験からいうと、逆さめがねをかけると目標の方角に行くにはどうしたらいいか、一歩足を出したらどこに進むのか、考えれば考えるほどわからなくなり、歩けば歩くほど混乱します。実験では、必ず隣《となり》に介助《かいじょ》者《しゃ》をつけます。

上下左右のわからない逆転した世界では、自分の手は重要な目印です。自分の手をめがねの視界に入れてみると、上下左右がどちらかがわかり、羅針盤《らしんばん》代わりになって安心できます。

とはいえ逆さめがねでは、下から出したはずの手が予測もしない上の方からにゅっとあらわれたりして、どっきりさせられます。動作のひとつひとつが身体感覚と矛盾《むじゅん》すると、目の前に出現した手が自分のものだという実感もわかなくなるのです。

しかし、それでもがんばって動いていけば、身体感覚の実感は戻《もど》ってくるのです。もやの中にいるような身体感覚が、だんだんとはっきりしていくような感じです。

ちなみに若い大学生だと、あまり考えずにどんどんと歩いて行ったりします。目標とはまったく別の方向に進んでいって、壁《かべ》に頭や身体をぶつけても、それでも平気な様子で歩いていくのです。このように実際に動いてみる方が慣れるのも早く、身体を動かすうえでは、考えすぎはだめだというのがよくわかります。

実際の逆さめがねの研究では、めがねをかけたまま生活して、慣れるまでにどれくらいかかるのかを調べます。逆さめがねをかけて食事をして、逆さめがねをかけたままトイレにも行くのです。外を出歩く実験など、なんらかの危険をともなう場合は、危険防止のため介助者がつきます。めがねをかけたまましばらく過ごせば慣れてしまい、逆さめがねをかけたまま、自転車に乗る人もいるほどです。

　そしてそこまでなじんでしまったら最後、恐《おそ》ろしいことが待っています。今度はめがねを外したときに、めがねはもうかけていないはずなのに、めがねをかけ始めたときと同じような逆転世界を体験することになってしまうのです。逆さめがねの世界が正立《せいりつ》したふつうの世界になって、今まで正立していたふつうの世界が逆転世界になる不思議を味わうのです。

　身体感覚がどのように獲得《かくとく》されるかを調べる研究は、人はどこまで異なる異次元世界に慣れることができるかへの挑戦《ちょうせん》にも思えます。実際にバーチャルリアリティの世界に入って慣れることには、逆さめがねに近い学習があるのかもしれません。

プリズムめがねで空間無視を治す

　逆さめがねの延長で、レンズのプリズムを利用して視野を少しだけずらしためがねは、なんと脳のリハビリにも流用できることがわかっています。フランスの認知科学者であるイブ・ロセッティは、自らが考案しためがねを患者《かんじゃ》の治療《ちりょう》のために使いました。

　脳卒中《のうそっちゅう》や脳血栓《のうけっせん》、事故などで脳に損傷を受けた結果、「半側空間無視《はんそくくうかんむし》」という状態になった患者の治療です。半側空間無視の患者は、右大脳半球の損傷により、それに対応した逆の視野であるところの左視野が欠損します。

ややこしいことですが、目が見えなくなったわけではないのです。見えているのに、見えていない。意識に入ってこないというか、まるで目の前の視野の半分はこの世の中に存在しないかのようにふるまうのです。

ちなみに私は10年前に顔の右半分が顔面麻痺《まひ》になりました。疲《つか》れると右目の動きも悪くなり、テーブルの右側にあるコップを倒《たお》すことが多かったのですが、左側にコップをずらせば済む話なので、身体の右側に物を置かないようにと常に気にかけていました。このように通常は問題に気づくわけなのですが、半側空間無視の患者はこうした問題に気づくことなく不安もなくて、世界そのものが欠けているのに気づかないという感じなのです。

たとえば見えていない左視野にある机や椅子《いす》に気づかず、しょっちゅうぶつかります。見えていない視野にある顔の半分には、化粧《けしょう》もしないままです。図1-4のように、絵を描くと、花でも時計でもネコでも右半分だけ完成させて、左半分を空白のまま描き残します。「左側が空白ですよ」と注意すると気づくことができるのですが、後から描《か》き足した部分がまた不自然で、正面を向いたネコの左右に2つの尻尾《しっぽ》が出ていたりするのです。

そのうえ不思議なことに、見えていない方向から声をかけられても、気づきにくいのです。無視は、見ることだけでなくて、聞くことにもかかわるということです。

ロセッティの半側空間無視の治療では、プリズムレンズを使い、視野を見えていない左方向にほんの少しずらしためがねをしばらくかけてもらいます。たったそれだけで、患者の状態は改善されました。片側しか描かなかった絵を、両側描くこともできました。

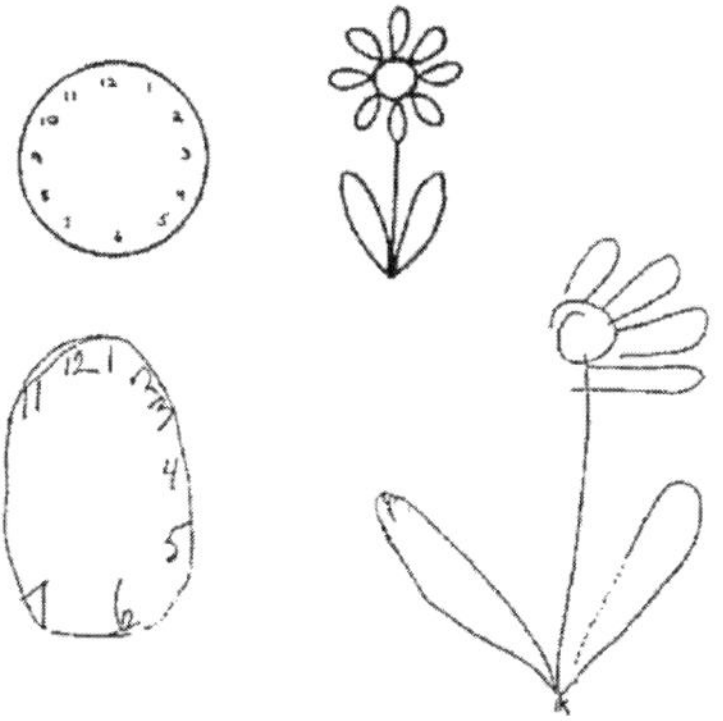

図 1-4　半側空間無視の患者による模写
右脳半球の損傷により左視野が欠損した「半側空間無視」の患者は，左側にあるものを無視してしまう（Behrmann & Plaut, 2001 より引用）

さらに不思議なことに、矯正《きょうせい》したのは視野のはずなのに、よばれても気づかない聴覚《ちょうかく》の無視までもが改善されたのです。しかもその効果は、めがねをたった5分かけただけで2～3日も続いたといいます。

プリズムめがねのトレーニングは、逆さめがねや鏡映描写と同じで、ずれた視覚と身体感覚とが競合します。見えなかった側に無理やり身体感覚を同期させるのです。やがて、このずれた視覚に身体感覚が順応していき、見えなかった視野に身体感覚が沿うことによって、世界が見えてくるのでしょう。めがねを外しても、その世界は維持《いじ》されるのです。

この実験から、私たちの身体は問題を抱《かか》えることになったとしても、再び柔軟《じゅうなん》に適応できる可能性があることがわかります。

運動神経は何のためにある？

身体を使って動くことは、この世界とつながるうえで重要な役割を果たしました。野生生物の世界をみても、敵から逃《に》げるため、獲物《えもの》を捕《と》らえるため、そしてこの地球上の環境《かんきょう》で生きていくため、あらゆる動物で運動能力を持つことが必須だということがわかります。

ヒヨコを卵から孵《ふ》化《か》して育ててみると、脚の弱い個体がある程度の割合で生まれてくるものの、大きくならないうちに死んでしまいます。動物を観察すると、運動能力がありそうな個体が生き延びることを目の当たりにします。

ヒトは他の生物と比べると、生まれ持っての運動能力は最低のレベルです。ヒトの新生児は首もすわらず、動き回ることもできないほどに未熟に生まれます。脳の発達も未成熟で、大脳皮質《だいのうひしつ》とよばれる意識をつかさどる脳の部分がまだ働いていない状態です。

しかし未熟にもかかわらず、目の前の危険を避《さ》ける防衛能力は持っています。新生児の目の前にボールが近づく影《かげ》を見せると、目をつぶって防御《ぼうぎょ》する反応がみられるのです。「目の前に迫《せま》る危険を防御すること」、それこそが運動能力の本来の目的で、自分たちが生きるこの環境をうまくのりきることにあるのです。

階段の上り下りや、手を伸《の》ばしてものを取ることなど、日常の生活で必須とされる運動行為《こうい》は、じつは視覚と運動にかかわる脳の働きによって可能となっています。後にくわしくお話ししますが、視覚と運動にかかわる脳に障害を受けると、こうした当たり前の行為ができなくなるのです。

つまりこの世界に適応すべく備わっている運動能力のキーポイントは、視覚と運動の連携《れんけい》にあるのです。身体と視覚の連携がなければ、視覚も発達しません。

動物実験から示された、驚くべき結果があります。実験では、生まれたばかりのネコを図1-5のような装置に入れました。運動とそれにともなう視覚を制限しているのです。装置の中では、1匹《ぴき》のネコがもう1匹のネコをひっぱるようにして動き回ります。2匹のネコは

図 1-5　動くネコと動かないネコ，視覚発達に劇的な違い

運動による視覚を制限されたネコは，動いているネコと同じ視覚を受け取っているにもかかわらず，視覚発達に問題が生じる（Held & Hein, 1963 より改変）

装置の中をぐるぐるとともに回って、まったく同じ視覚の経験をします。ただし片方は自分の力で動きながら見ることができますが、もう片方はひっぱられて見せられるだけ、という具合です。

その結果は、身体と見ることの連携に、劇的な違《ちが》いを生み出しました。こうして育てられた2匹のネコの視覚能力を調べてみると、自分で動き回ったネコだけが正常な反応を示したのです。自分で動かなかったネコは、近づくものに目をつぶることができなかったり、正しい位置に手を伸ばすことができなかったりしました。

つまり自分の身体を動かしてみない限り、脳を刺激《しげき》できないということです。身体と見ることの連携は、脳を成長させるためにたいへん重要なのです。

見ることと身体との結びつきは、事故によって身体が麻痺《まひ》した人の身体感覚の回復にも生かされるようです。脊椎《せきつい》損傷患者たちの日常をていねいに追った、臨床《りんしょう》神経生理学者のジョナサン・コールの研究があります。

脊椎損傷によって手足が動かなくなり、身体感覚が完全に麻痺し、自分の足がどこにあるかもわからない状況《じょうきょう》の人でも、自分の身体が何と触《ふ》れているかを視覚で確認することによって、なくした触覚《しょっかく》を生み出そうと努力するそうです。感覚がないことは何より居心地の悪いものであり、そのようにして自分の軸《じく》となる身体感覚を取《と》り戻《もど》そうとするのでしょう。つまり、視覚と運動との共同学習こそが、身体感覚の基盤《きばん》となっていくのです。

身体とつながる視覚、分離《ぶんり》した視覚

先述したように、感覚運動学習では、矛盾《むじゅん》する身体感覚と視覚の関係をくり返し学習します。身体感覚と視覚、この関係が世界を作りあげているともいえます。不思議なことにこの「視覚」には、２つのタイプがあります。

ある視力を失った女性の不思議な体験が、視覚世界の不思議を知るきっかけとなりました。２人の神経科学者、メルヴィン・グッデイルとデイヴィッド・ミルナーの研究です。彼女はシャワーを浴びているとき、不幸にして一酸化炭素中毒となり、結果、脳に障害を受けて視覚障害と診断《しんだん》されました。しかし彼女は、「見えていないはずなのに「見える」」のです。

文字も見えないし、人の顔もわかりません。目の前にペンでも紙でも置かれたとして、それがなんであるかを把握することもできません。ふだんも、視覚障害の人たちが使用する白《はく》杖《じょう》を持って生活しています。

ところが鉛筆《えんぴつ》を手渡《てわた》そうとすると、手を伸ばしてしっかりと受け取ることができるのです。変わった形をしたものを渡そうとした場合でも、その形にあわせて器用につかむことができます。ものの形がまったくわからないはずなのに、じつに不思議な行動です。

こうした不思議は、手を伸ばすときだけでなく、歩いているときにもおきました。ハイキングに行くと、木が生《お》い茂《しげ》ったでこぼこの道を、石につまずいて転んだりすることもなく、一人で歩くことができたのです。

同行した誰《だれ》もが驚き、この能力を実験で確認してみることにしました。様々な高さの障害物を用意したところ、それぞれの障害物の高さを答えることすらできないのに、それぞれの障害物にあわせて、くぐったりまたいだりすることは容易にできたのです。これが視覚障害といえるのでしょうか？

さらにくわしく調べると、色や素材の表面は見えるものの、形がわからないことが明らかになりました。たとえば縞《しま》のパターンを見せると、縞は見えても、縞の方向がまったくわからないのです。微妙《びみょう》に見えることは見えるのですが、背景から物体を取り出すことが難しかったので（たとえば、机の上に置いてあるりんごがわからない）、周囲の状況がほとんど見えないといっていい状態だろうと思われます。それにもかかわらず、様々な形や大きさの棒を、それぞれの形に手をあわせて的確につかむことができるのです。

この奇妙《きみょう》な状況は、どういうことなのでしょうか？　対象をしっかりと把握しようとするときには見えないのに、いちど動き始めると、その後はあたかも目が見えているかのように動きだすのです。

この症状《しょうじょう》が発見された1980年代当時、見ることには2つの分業があることを想定した論文が発表されました。図のように、視覚はまず頭の後ろにある視覚野《しかくや》で受け取り、それから先は、頭の横側へ続く「腹側《ふくそく》経路」と、頭頂へ続く「背側《はいそく》経路」の2つに分かれます（図1-6）。

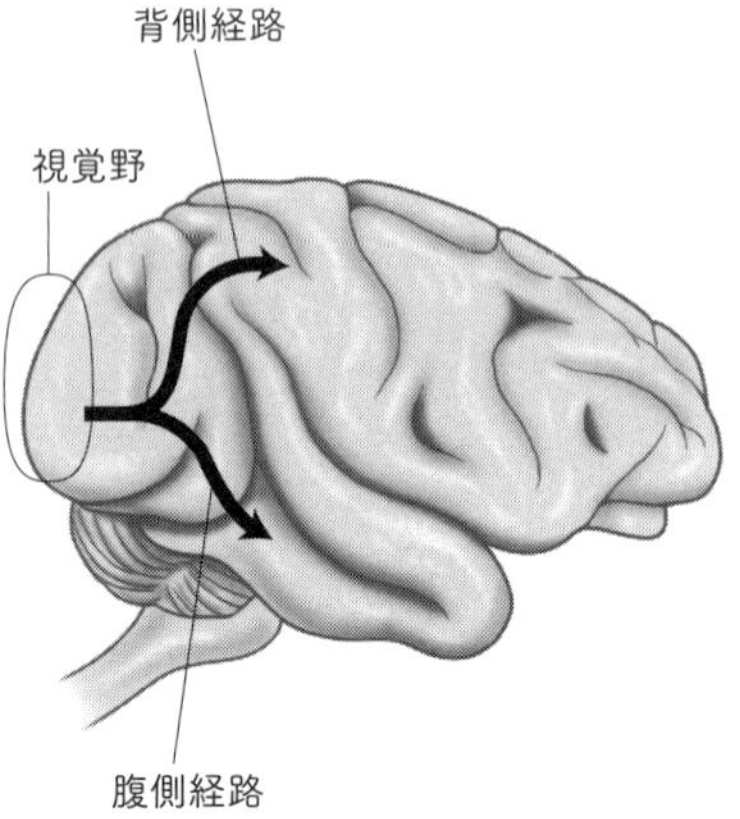

図 1-6　アカゲザルの脳の視覚の 2 つの経路——背側経路と腹側経路

視覚と運動との協力関係があるときに働く背側経路と，顔や色など対象の特徴を見るときに働く腹側経路

「背側経路」を傷つけると、目の前の対象の距離《きょり》がうまくつかみきれずに物体をつかみそこねることが、動物を対象とした実験からわかりました。一方でノーベル賞を受賞した神経生理学者デイヴィッド・ヒューベルとトルステン・ウィーゼルは、サルの脳神経活動を記録する方法を開発し、「腹側経路」にあたる活動を調べることに成功しました。その結果、線分の傾《かたむ》きや色、顔といった対象の特徴《とくちょう》を見るときに「腹側経路」が活動することがわかりました。

つまり「腹側経路」は形や色や顔を見ているときに働き、「背側経路」は見ることと運動との協力関係があるときに働くという分業です。

そこで先の女性の脳の状態を、最新の装置を使って調べることとなりました。脳のどこに損傷があるかをＭＲＩ（磁気共鳴画像法）として撮影《さつえい》するのです。発症《はっしょう》から15年後のことでした。ちなみに15年経って、女性の状態には多少の改善がありました。見えないこと自体は治らないので、最初の動作はどうしてもでたらめになりがちなのですが、動作の途中《とちゅう》で修正できるようになっていたのです。

検査の結果から、腹側経路に大きな損傷があることを確認できました。この女性の不思議な症状は、視覚の2つの分業というミルナーとグッデイル自身が唱えた理論とまさしく一致《いっち》する、衝撃的《しょうげきてき》なものだったのです。

運動神経が鈍《にぶ》い理由

先の女性は非常に特殊な症状をあらわす例でしたが、一般に背側経路の到達《とうたつ》地点である頭頂葉《とうちょうよう》を損傷すると、見えなくなるまではないにしても、空間を見る能力は損なわれます。脳卒中などで頭頂葉に障害を受けたバリント症候群《しょうこうぐん》の患者は「視覚性運動失調」とよばれる状態になります。物体の位置の判断は正確にできても、目の前の物体の形状にあわせて正しく手を操作することができないのです。

頭頂葉周辺に脳卒中を経験した患者の自伝によれば、世界のすべてが平坦《へいたん》に見えてしまうそうです。自らが患者となった、山田規畝子《きくこ》医師による報告があります。ピンとこないかもしれませんが、たとえば自分が寝《ね》ているベッドと床《ゆか》の段差が、単に白と黒とで塗《ぬ》り分《わ》けられた平坦な空間に見えてしまうそうなのです。山田さんは、たまたま黒い部分に手をつこうとしたら床で、ベッドから転げ落ちてしまったそうです。

上りの階段は、壁に横線が引いてあるように見えます。下りの階段は、床に横線が引いてあるように見えます(図1-7)。そのため階段を上り下りする際には、床や壁に突入《とつにゅう》していくような気分になるそうなのです。日常生活のなかで、空間の奥行きが見えることがいかに重要か気づかされます。

ひょっとすると、運動神経が弱い人のなかには、見る能力と運動の連携に問題がある人もいるかもしれません。背側経路は腹側経路よりも先に発達する一方で、背側経路の方が発達のなかで傷つきやすいといわれています。そのため、生まれつきこうした障害を抱える人もいるのです。

その障害とは、生まれつき染色体《せんしょくたい》の一部が欠失していることにより生じる発達障害のウィリアムズ症候群です。言語能力に優れてとてもおしゃべり、しかも抜群《ばつぐん》な音楽能力を持つ異能力者もなかにはいます。一度聞いた音楽をそのままピアノで弾《ひ》き、外国語の歌も聞いたそのまま歌えたりします。

これほどの優れた能力を示す一方で、視空間能力に決定的な問題があります。積み木の手本を目の前にして、それをまねして同じ形を作ることができません。「森」という漢字を書こうとすると、空間配置を取《と》り違《ちが》え、「木」があちこちめちゃめちゃの位置となってしまい、正しく書くことが難しいのです。

図 1-7　平坦に見える階段

頭頂葉に損傷を受けて奥行きが感じられなくなると，階段が平坦な模様に見える

決定的なのが、自分の家の中ですら迷ってしまうこと。空間音痴というか、空間を把握する能力が決定的にとぼしいのです。こうした能力の欠如《けつじょ》の原因が、視覚と運動をつなぐ働きにある証拠《しょうこ》に、階段の上り下りは手すりにつかまることが必要で、

そうでないとつまずいてしまうのです。

こうした「空間音痴」は、様々な発達障害にみられる可能性があるといわれています。発達障害の子どもには、運動が苦手な子が多いとされています。ベテランの小児科医によれば、抱《だ》っこしたときの赤ちゃんの筋肉の緊張《きんちょう》度合から、発達障害の可能性がわかるとまで言う人もいます。発達障害の幼稚《ようち》園児《えんじ》は、まっすぐひかれた線の上を歩くことが苦手という研究結果もあります。

自閉症者《じへいしょうしゃ》として世界的なベストセラー『自閉症の僕《ぼく》が跳《と》びはねる理由』（角川文庫、2016年）を書いた東田直樹《ひがしだなおき》も、手足がどこについているのか、どうやったら思い通りに動かせるのか、人魚の足のように実感がないと語っています。このことから考えるに、運動神経の鈍さの原因は、身体感覚にありそうです。

そしてその身体感覚とは、身体と視覚とをつなぐ働きをする、頭のてっぺんの頭頂葉（図1-9参照）が行う脳のなせる業ともいえるのです。

自分の身体感覚を信じよう！

くり返しになりますが、視覚には、身体感覚と結びついた視覚と、見ることだけに専念した視覚の2つがあります。この2つの違いについて、もう少しみていきましょう。

錯視《さくし》図形を使った実験があります。図にあるような錯視図形を見せるのです。これはエビングハウス錯視とよばれるものです(図1-8)。2つの絵の中心にある円の大きさは、左右の図で同じです。それが大きな円で囲まれると小さく見え、小さな円で囲まれると大きく見えます。実際は同じ大きさの円なのですが、周りの円との対比効果による錯視によってだまされているのです。ちなみに生後6か月の乳児でもこの錯視が見えることを、私たちの研究室で発見しました。

この錯視のポイントは、実際は同じ大きさの円が、錯視によって大きさが違って見えること、だまされることにあります。この錯視に、身体感覚と結びついた視覚がだまされるかどうかを、カナダの心理学者グッデイルらのグループが調べています。

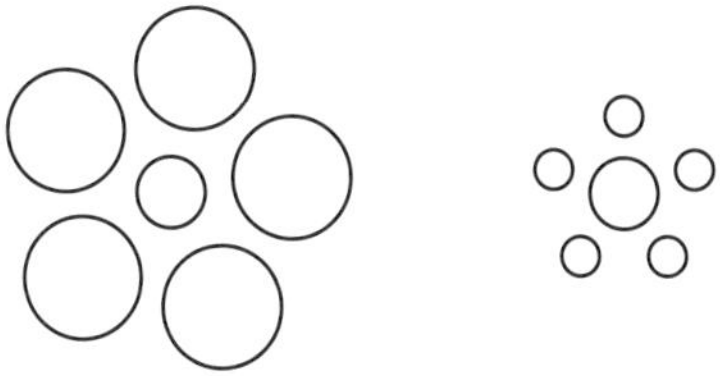

図1-8　エビングハウス錯視

周囲を囲む円の大きさにより大きさが違って見えるエビングハウス錯視．真ん中の円はどちらも同じ大きさ．しかし視覚ではだまされても，動きはだまされないまずは念のため、見ることだけに専念した視覚がだまされているかを確認します。つまり錯視が見えるかを確かめるのですが、当然ながら錯視は見え、見ることだけに専念した視覚はだまされました。

次に、身体感覚と結びついた視覚がだまされるかを調べました。そのためには、身体運動を調べるための装置が必要です。指の動きを計測する装置を着けて、それぞれの錯視図形の真ん中の円をつかんでもらいます。錯視で見える大きさに身体がだまされるならば、実際の円よりも錯視にあわせて大きく、あるいは小さく指が動き、実際の円に手が着いたところで、あわてて指の動きを修正するはずです。

当初の予測は、身体感覚と結びついた視覚も錯視にだまされるであろうということでした。しかし実験の結果は意外なことに、指は間違《まちが》うことなく正しく円をつかみ、動きを修正することはなかったのです。つまり、錯視は生じなかったのです。目で見ると確かに錯視にだまされるのに、身体は錯視にだまされず行動できたのです。

不思議なことですが、身体を使うと、錯視にだまされないのです。身体を使うような運動では、周りの環境を正確に把握できないと、距離が正しくよめずに人にぶつかったり、正確にサーブやシュートできなかったりと、いろいろ失敗することでしょう。

一方の錯視にだまされた「見るための視覚」は、この物理的な世界から離《はな》れ、見ることに徹《てっ》します。文字を読んだり、相手の顔色をよんだり、景色を見たり、絵を見たりと、どちらかというと主観的なイメージや空想の世界を作りあげるための働きをしているともいえるでしょう。

このように、視覚には「現実世界に存在する身体としっかりと結びついた視覚」と、「身体から少し離れてイメージの世界への橋渡しをする視覚」、という2つの役割があるのです。

幻腕《げんわん》とサイボーグ

ところが、この世界にしっかりと立脚《りっきゃく》している身体でも、だまされることはあるのです。それは、事故や病気で失ったはずの身体に、ありありとした痛みを感じる、幻肢痛《げんしつう》とよばれる現象です。

痛みのもとがなくなってしまったわけですから、治しようがありません。身体からの反応を受け取る脳の「体性感覚野《たいせいかんかくや》」とよばれる部分が、なくなった身体に対して誤って反応して

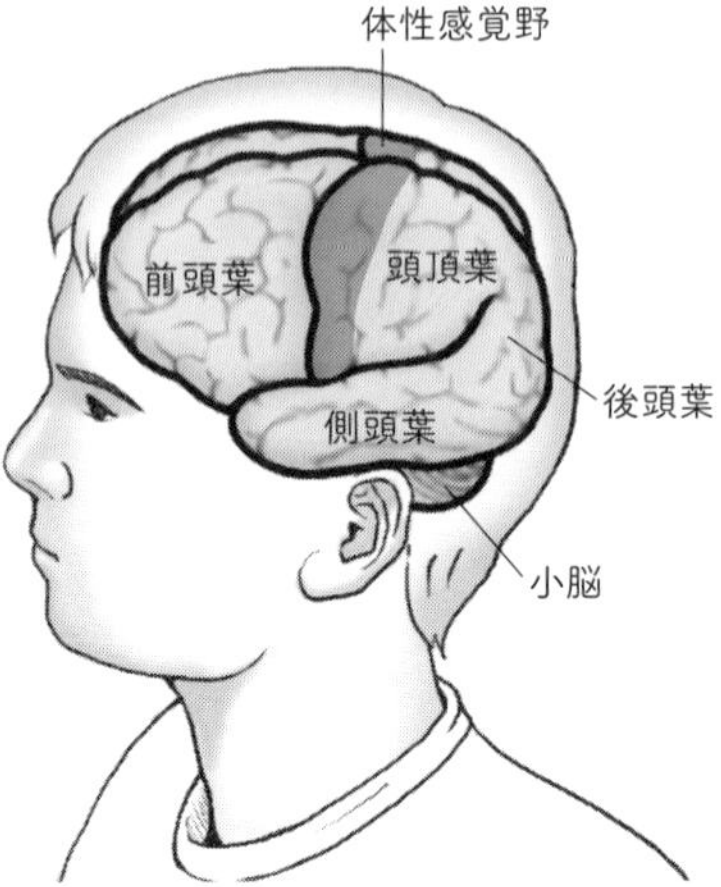

図 1-9　頭頂葉と体性感覚野

いるためと考えられています（図1-9）。事故で失った腕《うで》がまだあるかのように感じる現象は、「ファントムリム（幻《まぼろし》の腕）」とよばれます。

　この誤りの原因は、体性感覚野内の配置にあります。調べてみると、頬《ほお》に触れられた感覚を、腕からのものと取り違えていることがわかったのです。身体では離れた位置にある腕と頬ですが、体性感覚野でそれらを感じる部分は隣りあっていたのです。

　しかし、幻肢痛の原因は頭でわかっても、患者の痛みは消えません。そこで脳科学者ヴァラヤヌル・ラマチャンドランは、幻肢痛を改善させる、画期的な方法を考案しました。鏡を使って身体をだますという、心理学実験の手法を改変したものです。

　まず、鏡によって間を仕切られた箱の中に、動かせる側の手を入れます。箱にはふたがなく、上から手の様子を見ることができます。動かした手は鏡に映り、反対側の動かない手も動いているように見えます。この中で何度も手を開いたり閉じたりする運動感覚を感じながらそれに連動する映像をくり返し見るだけ、それだけで幻肢痛がなくなる。とても不思議なことです。

心理学実験のひとつのラバーハンド錯視で(図1-10)、この効果を追体験することができます。ラバーハンド錯視では、自分の手と偽物《にせもの》のラバー(ゴム)でできた手(ラバーハンド)を並べて置いて、自分の手は仕切りで隠《かく》され見えないようにされ、自分の手と偽物の手とを同時に筆でなでられているのを観察します。隠された自分の手でなでられる触《しょっ》覚《かく》を感じながら、偽物の手がなでられるのを視覚で観察するのです。これをくり返していくと、ラバーハンドがまるで自分の手であるかのような感覚ができあがります。

図1-10　ラバーハンド錯視
ラバー(ゴム)でできた手を自分の手と感じる「ラバーハンド錯視」

ちょっと意地の悪い実験では、実験の最後に実験者が偽物の手にフォークをつき刺《さ》そうとします。偽物の手を自分の手と感じていた被験者は、驚いてさけんだり、飛び上がったりします。自分の身体を自分のものと感じる、「身体所有感」が変容するのです。

自分のものだと感じる身体が自分自身を超《こ》える「身体所有感」の変容は、道具を使いこなす人間にとって重要です。さらにいえば、バーチャルリアリティなどの先端《せんたん》技術を使いこなす機会の増えた昨今では、重要度は増しているといえましょう。身近なところでいえば、自転車や自動車の運転にも、身体所有感の変容は生じています。

運転に慣れて、車がまるで自分の延長のように感じられるようになったとき、その感覚こそが自身の身体を超えた新たな身体を所有している感覚であり、「身体所有感の変容」といわれるものなのです。義足を自分の足として使いこなす際にはまさしく、身体所有感の変容が必須とされるのです。

そしてそれは、自分の延長として、機械の身体を使いこなす能力にもつながっています。近未来映画のようなサイボーグ技術が可能となった将来、それをほんとうに自分の身体の延長と感じて使いこなすことができるのかにも、身体所有感の変容はかかわっているのです。

これは、バーチャルリアリティの世界を、現実世界よりもよりリアルに感じることにもつながります。

バーチャルリアリティ技術を使い、幻肢痛を治す取り組みも行われています。脳とパソコンを直接つなぐブレイン・マシン・インターフェイス技術を利用した治療も試みられています。幻肢を動かす脳波《のうは》を取り出し、コンピュータを介して義手の動きに変換します。それで義手を動かす訓練を行うのです。こうした訓練によって痛みを軽減する、あるいは逆に痛みを増やす研究も行われています。

では、SF映画のように、サイボーグやバーチャルリアリティが現実化した近い将来では、現実の身体は不要なものとなっていくのでしょうか？　私たちの身体感覚は、どこまで身体を超えていくのでしょうか？

ないことから考えてみる

身体感覚を考えるにあたり「感覚そのものがない」ことについても考えてみましょう。

感覚のなかでも、視覚は重要です。目が見える晴眼者《せいがんしゃ》にとって、世界は視覚を基礎《きそ》に作られているといっても過言《かごん》ではないでしょう。そんな視覚を失ったら、つまり目が見えなかったら、真っ暗でなにもない世界となるのでしょうか？　目の前の空間がどのように広がっているのかすら、わからないのでしょうか？

心理学の観点から「美」を研究する神経生理学者セミール・ゼキによれば、印象派の画家クロード・モネは「生まれつき目が見えない状態で生まれ、後から目が見えるようになりたい」と語ったそうです。そうすれば「目の前にあるものがなにかわからないまま、その純粋《じゅんすい》な形を見ることができる」と考えたからだといいます。

ですが実際は、そんな様子ではなさそうです。10年ほど前、全盲《ぜんもう》の研究生と一緒《いっしょ》に視覚について考えてみたことがありました。彼が感じる世界について話してもらうのです。聞くと驚くことばかり、そこには想像とはまったく異なる、豊かな世界がありました。

たとえば、色について話したことがあります。生まれつき目が見えなかった彼は、これまで一度も色を見たことがないにもかかわらず、色には強い関心を持っていました。そして、それぞれの色に対するイメージのようなものを抱《いだ》いていました。ちょっとした会話の話題や、小説のエピソードなどから、明るくて目立つ赤や空の色の青といったように、それぞれの色がどんなものなのかを推測しているのです。

色については、欠けた情報を補って想像しているという様子ですが、空間については晴眼者とまったく違う、豊かな世界を持っていることがわかりました。

そもそも彼は私の研究室までは白杖《はくじょう》をついて来るのですが、研究室に入った後は、白杖をまったく使わないで歩き回ります。そして、そのまま椅子のあるところに来て座るのです。それはまるで、見えているかのような行動にも思えました。

目が見えないのに、どうしてテーブルと椅子《いす》のある場所まで迷わずに歩けるのかと聞いたところ、音の反射から、空間内の広がりやおおよその障害物があることがわかるというのです。彼は旅行好きで、旅先でボランティアの同行をつのっては旅に出るとのことですが、はじめて入るホテルの部屋でも、音の響《ひび》きから部屋の大きさがわかるそうです。広めの部屋では音が広がるというのです。音が吸収される方向から、ベッドの位置もわかるといいます。

つまり彼は視覚がなくても、目の前の空間は、音と空気の流れから把握できるのです。視覚という、影響力《えいきょうりょく》の強い感覚がなかったとしても、まったく別のルートから作りあげた空間世界を共有できる。こうした違いを意識しながら、共通の世界について語らえたら、それこそがすばらしいことではないでしょうか。

しかし一方で、視覚障害の彼には理解できない空間経験もありました。彼がボランティアに新聞記事を読みあげてもらっていたときに、片隅《かたすみ》にある小さな記事にボランティアが気づくことに驚いたというのです。

晴眼者にはごくふつうのこと、興味をもった記事であれば、小さな記事であっても気づくことができます。しかし、触覚でひとつひとつ点字を順番に確かめていく目の見えない学生にとって、この一目で気づくという見方が大きな驚きだったのです。

また、当然のことかもしれませんが、どこからどのように見ているかという「視点」への理解は、彼には難しく感じられたようです。たとえば天から見下ろすような「俯瞰《ふかん》する」という視点が、ピンと来ないようなのです。

それで気がついたのですが、私を含《ふく》めた晴眼者は、視点の切《き》り替《か》えをよくします。漫画《まんが》や映画を「視点」から見なおしてみると、気づくことができるでしょう。自分自身の視点で見ている風景と、俯瞰する視点から見る風景を、効果的に見えるように、切り替えています。

たとえば広い空間を、敵と味方が複雑に入り交じり格闘《かくとう》する戦闘シーンや、スパイ映画で、敵に追われてビルの上を飛び回るシーン。こうしたシーンは、天から見下ろすような「俯瞰する」視点で描かれることが少なくありません。ちなみに、こうした視点の切り替えは、夢の中でもおきています。たとえば自分が空を飛んでいる様子を、天から見下ろしているような夢を見たことはありませんか？

晴眼者が日常で頻繁《ひんぱん》に目にするシーンの切り替えは、視覚障害者の学生にとっては理解し難く、特に俯瞰的な光景をイメージすることが難しいというのです。漫画や映画を説明されて情景をイメージするときも、自分で小説を読むときも、常に登場人物と同じ視点でいるといいます。

それでは、俯瞰的な視点とは、どのように得られるのでしょうか？　どんな実体験と結びついているのでしょう？　晴眼者にとっては、高いビルや小高い丘《おか》から眼下に広がる街並みを見下ろしたときなどに見た、さえぎられていたものがなく視野が広がるという、視覚的な経験にもとづいているのではないでしょうか。

一方の視覚障害の学生によれば、俯瞰的な視点は、小説で触れたくらいで、実際に体験したことはないそうなのです。

つまり、同じ環境に住む人たちでも、受け取る感覚の違いから、異なった世界を見ていることもあるということです。互《たが》いの語りをほんとうに理解するためには、異なることと共通することを、丁寧《ていねい》に知りあっていくことが重要なのではないでしょうか。

触覚で絵を描く、鑑賞《かんしょう》する

視覚障害の話をもう少し続けましょう。

10年も前のことですが、触覚で絵を鑑賞する道具を見せてもらったことがあります。描いたところがモコモコと盛り上がるペンや、トレーシングペーパー状の紙に、ボールペンなどで絵の輪郭線《りんかくせん》に沿って跡《あと》をつけるようなものです。いずれも線の軌跡《きせき》を手で触れ、絵を鑑賞するのです。最近では、3Dプリンターを使って2次元の絵を3次元の立体構造にして、絵の構造に直接触れて鑑賞するしくみも開発されているようです。

しかし、目で鑑賞することと、触覚で絵を感じることの間には、決定的な違いがあるように感じます。線を手でたどりながら少しずつ形を解明するのと、一目で形をとらえることとの違いは大きいのです。

視覚の一番の特性は、一目で物の形をとらえることにあります。たとえば３つの角をいっぺんに見て、三角形は一目でわかります。それと比べると触覚は、角をひとつひとつ確認しながら、３つの角を確認して三角形を認識します。それが三角形であることを知るのに、時間がかかるのです。

１９９８年ニューヨークのクィーンズミュージアムで行われた、目の見えない人たちにスケッチを描いてもらうというイベントの記録が残っています。立方体やカップを描いてもらうという単純な試みでしたが、興味深い違いがわかります。それぞれの作品を見てみましょう（図１-11）。①と②が２歳《さい》で目が見えなくなった20代の学生２人の絵で、③は生まれつき目が見えない30代の女性が描いたものです。

ふつうの立方体とカップのデッサンとは、明らかに違います。これこそが、目の見えない人たちにとっての「ものの形」なのでしょう。そしてこの違いの程度が、立方体とカップで異なるということも重要です。カップという、飲み物を飲むという働きを持った物体と、こうした働きのない抽象的《ちゅうしょうてき》な立方体とでは、対象の把握の共通性に違いがあるのです。

カップの方が、理解しやすい絵が並んでいるのではないでしょうか。唯一《ゆいいつ》、③の丸が並んでいる絵は、カップの絵であることすらわかりにくいものとなっています。この絵を描いた30代の女性は、これまで絵を描いた経験がまったくなかったということです。「カップ」を手で触《さわ》って得た印象を、そのまま描いているようにみえます。

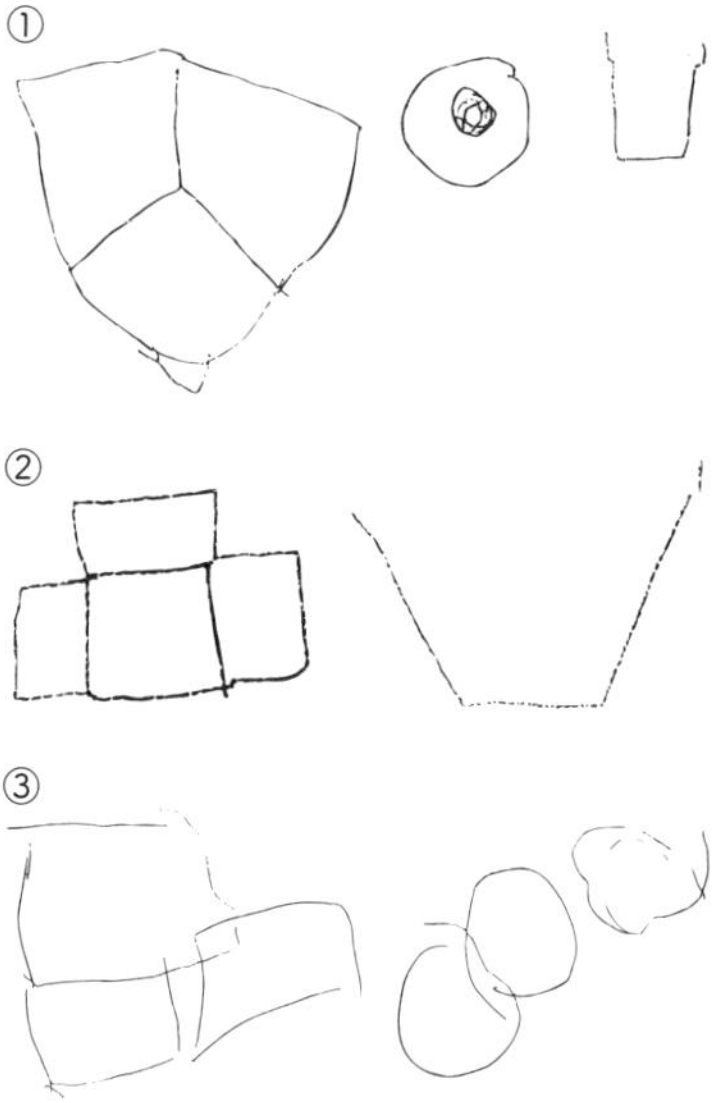

図 1-11　目の見えない人が描いた絵

描かれた立方体（左）とカップ（右）
（Morton A. Heller, “Touch, Representation, and Blindness” より引用）

目をつぶって、球体を形として探り当てられるかを想像してみましょう。球を両手でさぐっていくと、角のない触覚が延々と続いて最後に両手が触れるだけで、境界を知ることは難しいのではないでしょうか？　角がある物体ならば、面は角で区切られ、輪郭の存在を知ることができるでしょう。

先ほどの絵は、カップの形を触覚からとらえて、カップの胴《どう》を3つの丸で表現しているようにみえます。①の絵では、二重の円は、カップを上から透視《とうし》したように見えますが、カップが上から下にかけて細くなる触覚を表現したもの、つまり上の方の太い胴体《どうたい》と底の細い胴体を重ねているのでしょうか。

カップは飲み物を飲むという働きを持ち、その働きは、触覚でも視覚でも共通していますので、触覚でも、視覚でも、カップという共通したイメージを抱きやすいと思われます。一方でこのような働きを持たない立方体では、感覚を超えた共通の働きがないため、触覚世界と視覚世界の違いがより強く感じられるようです。

立方体の図は、いずれもデッサンというよりは数学で習う「展開図」のようにも見えます。しかも③の絵は立方体のそれぞれの側面が独立して描かれていて、いわゆる展開図からもかけ離れています。

触覚だけの世界を想像してみましょう。目をつぶって、触覚で立方体を探ってみましょう。どんな風に感じるでしょうか？　触覚からは、６つの平らな正方形の面を感じることができるでしょう。それぞれの面は、次々と順番に感じられます。これらの絵は、そんな手で触れた正方形の面の形をそのまま表現しているといえるのかもしれません。

視覚のない世界、触覚世界を体験する

視覚のない世界の不思議を体験するイベントがあります。人気が高いために私もまだ経験したことがないのですが、アイマスクをして目をふさぎ、視覚障害者のボランティアに先導してもらいながら暗闇《くらやみ》の空間を歩きまわり、目の見えない世界を体験するのです。アイマスクをつけると、ほとんどの人は目の前に広がる暗闇に恐怖《きょうふ》を感じ、足を踏み出すことすらとまどうそうです。

「頼《たよ》りのない世界」というのが、実感でしょうか。このように感じられるのは晴眼者が、視覚に頼って生きている証拠《しょうこ》ともいえましょう。そもそも人は「視覚の動物」とよばれ、視覚を頼りとし、身体感覚も視覚からの情報が主となります。視覚がないと、支えがなくなったように感じてしまう。いかに視覚にたより切っているかを実感させられます。

このイベントでは、視覚以外の感覚の重要性に気づくことができます。視覚をシャットアウトした暗闇で過ごしてみると、しだいに触覚や聴覚をより強く感じるようになっていくのです。勇気を出して足を踏み出すと、ふだん気づくことのない、空気の流れや音の変化に気

づくようになるそうです。

空間が広がるところでは、音も広がる。せまい閉じられた空間や行き止まりの空間では、音が反響《はんきょう》する。空気の流れでどちらに空間が広がっているかもわかるし、閉じられた空間では、空気の流れも停滞《ていたい》しているように感じられるのです。

脳の働きから考えると、それぞれの感覚は異なる脳の部位で処理されることが知られています。たとえば視覚を担当する視覚野は頭の後ろの方にありますが、触覚を担当するのは「体性感覚野」とよばれ、頭のてっぺんにあります。しかし視覚が主の世界から触覚が主の世界への移行は、暗闇を経験することにより切り替わるのです。目をつぶって視覚を遮断《しゃだん》すれば、触覚や聴覚が生き生きと働く世界へと移り変わることができるのです。

目の見えない人たちの世界を、その脳活動から探る研究も行われています。彼ら彼女らは指で点字に触れて文字を読むように、触覚を視覚の代用としています。点字を読んでいるときの脳活動を計測してみると、触覚に関する脳だけでなく、視覚に関する脳も活動していることがわかったのです。触覚で得た文字のイメージを、視覚で処理していたのでしょう。まさしく触覚を視覚の代理として活用していたといえるようです。

心理学者であるレオナルド・コーエンたちは、視覚障害者が点字を読んでいるときに、視覚野に電気ショックを与えてみることを考えました。脳の特定の領域の活動に影響を与える程度の、軽いものです。電気ショックを与えられると、与えられた脳の箇所《かしょ》だけが一時的に働かなくなります。晴眼者の視覚野にショックを与えれば、目が見えなくなります。ただしもともと目が見えない視覚障害者は、視覚野にショックを与えたとしても、なにも変化はおこらないはずとも考えられます。

ところが、視覚野に電気ショックを与えられると、視覚障害者たちは点字を読むことができなくなってしまったのです。点字がくずれて意味がわからなくなったというのです。手で触れて読む点字にもかかわらず、点字を読む際には視覚に関する脳の部分が使われるということなのです。

これは、視覚障害者では視覚野の働きが晴眼者とは大きく異なっている証拠です。このように脳の本来の役割が変わることは、発達途上《とじょう》でしばしばおきます。生物は、そのときの状況にあわせて発達する柔軟性《じゅうなんせい》を持って生まれるのです。

片目に目かくしをして育てた動物実験からは、ふさがれて使えない目につながるはずだった脳神経が、使えるもう一方の目につながることがわかっています。さらに使えない期間が長くなると、この使える目による脳神経の侵食《しんしょく》はより大きくなることもわかっています。先出の神経生理学者ヒューベルとウィーゼルの実験です。実験の結果、ふさがれて使わなかった方の目の成長は阻害《そがい》され、回復不能となりました。

これは赤ちゃんのときに斜視《しゃし》で見える方の目だけを使い続けると、もう一方の目が弱視になってしまうことを、脳の働きからとらえた動物実験でもあります。つまり脳は、使わない機能を使える機能にすり替える働きがあるのです。

視覚から触覚へのすり替わりをよりくわしく調べるため、脳科学者のコーエンや定藤規弘《さだとうのりひろ》たちは、目が見えなくなったばかりの成人を対象に脳活動を計測しました。その結果、長年の経験を経なくても点字の練習で、これらの人たちが点字を読むときに視覚に関する脳の部位が働くことがわかったのです。しかもこのような脳活動は、まだじゅうぶん点字を習得できていなくてもみられたのです。

さらに学習の速さを追求するため、神経科学者のトマス・カウフマンは、目の見える人たちに目かくしをしたまま5日間生活してもらい、点字の訓練を受けさせました。するとたった5日間でも、指先への触覚的な刺激で視覚に関する脳の活動がみられるようになりました。

こうした脳の学習は、成人になっても成立し、しかも予想以上に速いのです。ヒューベルとウィーゼルの発見から、生まれてすぐという期間限定で、学習を受け付ける「臨界期(敏《びん》感期《かんき》)」とよばれる特別な期間が脳にはあると考えられていました。ですので、大人になってからの脳の学習を明らかにしたこれらの研究は、これまでの常識をくつがえす驚くべき発見だったのです。私たちはとても優秀《ゆうしゅう》な脳に支えられて、様々な困難を克服《こくふく》する能力を持っているのです。

事故や病気、加齢《かれい》で目が見えなくなることもあります。人生の途中に突然《とつぜん》失明し、白杖を使って歩かねばならないこと。それはたいへんな苦労であると想像できます。しかし先述の研究結果を考えるに、訓練をくり返すことによって、視覚のない世界への切り替えができるようになる可能性を心強く感じます。

脳は柔軟な発達可能性(可塑性《かそせい》)を持ち、老いても学習することができるすばらしさを持っているのです。その学習には、自分たちの身体を使う必要があること。これはしっかりと認識しておくべきことと思います。

第2章

魅力的《みりょくてき》なカラダとは？

ルノワール《水浴する女たち》1918-19年頃

あなたは自分の身体に自信がありますか？
魅力的な身体を持ちたいと願う気持ちは、若いときに限られるものではありません。いくつになっても、人は理想的な身体になるために苦労をするようです。特に「やせたい！」と思う気持ちは、年代を超《こ》えて普遍的《ふへんてき》な願望だと思います。その理由には、異性にもてたい、美しくなりたい、かわいい服を着てみたい……いろいろあります。

しかしなぜ、やせた身体を理想とするのでしょうか？ そして、やせていないと着たい服も着ることができないというのは、おかしくはないでしょうか？ まず、現在のやせ至上主義について、理想の身体について、考えてみましょう。

本章では、いわゆる「見た目」の効果を、動物にさかのぼって考えます。動物と比較《ひかく》することによって、ヒトの立ち位置を知る、進化心理学の研究です。クジャクの美しい羽やライオンの立派なたてがみのように、動物にとっても見た目は重要です。見た目で異性の気を引くことは、自分の子を残す大切な働きとなるからです。

では、子孫を残すためには若ければいいのか、男ならば強ければいいのか……？　様々な疑問が浮《う》かびます。人間の「見た目」には、動物社会から引《ひ》き継《つ》がれた性質と、人間社会固有の問題もあるので、その間には矛盾《むじゅん》があるのです。結果、ヒトは自身の身体に苦しむことになるわけです。そして人間社会の特性として、女性の方が見られる対象となりがちです。それはなぜか？　私たちが気にする見た目について、考えてみましょう。

よいスタイルは時代による

まずは現代女性の理想像である雑誌のモデルと、古今東西《ここんとうざい》の絵画や肖像《しょうぞう》となった女性像とを比べてみましょう（図２-１）。最古の女性像と考えられるのは、古代に作られた土偶《どぐう》の女性像でしょう。みるからに安産体形タイプです。以降の絵画や彫像《ちょうぞう》に残された女性像を見ると、多様ではありますが、現代女性ほどに極端《きょくたん》にスレンダーな姿はないようにもみえます。エジプトの絵画に出てくる女性のやせたタイプは、むしろ特徴的《とくちょうてき》です。

しかしそれ以降、ギリシャ時代からは豊満な姿となっていきます。ルネッサンスではさら

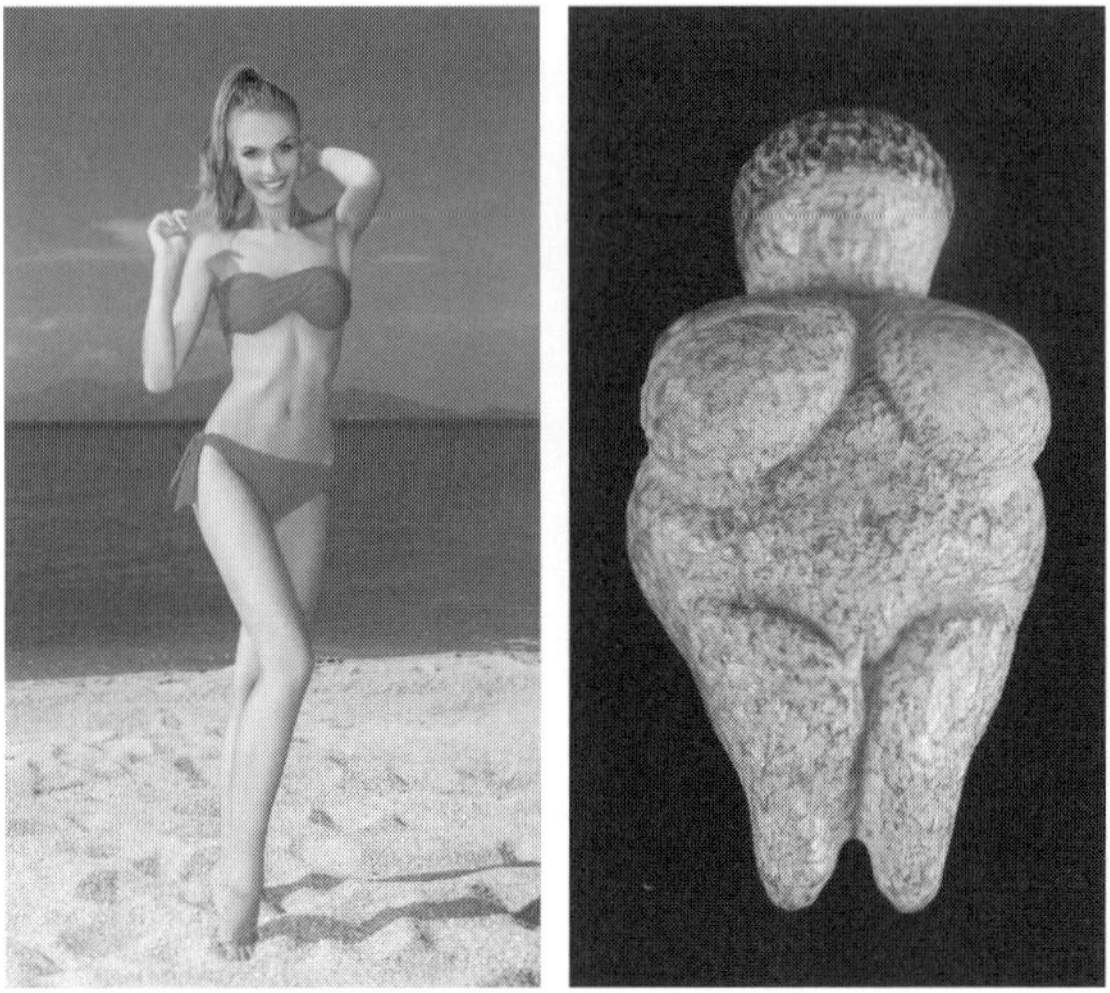

図 2-1　土偶とやせたモデルの女性

古来の女性の象徴は豊満であったのに対し，やせたモデルの女性はこうした象徴を拒否しているようにもみえる（写真：123RF）

に胸もおなかもおしりも立派なぽっちゃりタイプです。

一方の東洋を眺《なが》めてみると、中国の漢時代にしても、日本の奈良《なら》や平安《へいあん》や江戸《えど》時代にしても、シルエットのわからない服装が多いため体形はわかりにくいのですが、やせにこだわっているようにはみえません。これらの女性像と比べると、現代の雑誌に載《の》っているモデルの女性だけが、極端にやせているようにみえます。

今の時代も、欧米《おうべい》の女性がバストを強調する服をごくふつうに着こなしているのを見てちょっとドッキリすることがありますが、西洋でシルエットを強調するのは昔からみられる特徴なのかもしれません。

理想の体形に近づくための記録に残る最も有名な女性の体形改善に、コルセットがあります(図2-2)。ウェストを細くして胸や腰《こし》を強調するコルセットは、19世紀後半に大量生産され、全盛となりました。それがココ・シャネルなど有名なファッションデザイナーがコルセットを使わない服装を提案したことにより、20世紀にかけて下火になりました。

窮屈《きゅうくつ》なコルセットからの解放は、女性の社会進出とそれにともなうファッションの変化からみると画期的であったようです。しかしコルセットがなくなり、身体をぎゅうぎゅうにしめ上げることがなくなった代わりに、身体そのものを無理やりに服にあわせようとするのが、現代女性の現状なのではないでしょうか。

つまり現代からみるとコルセットは窮屈にみえますが、別の視点からみたら、現代のやせすぎの身体の方がよっぽど窮屈かもしれません。過度のダイエットは健康にもよくないということで、フランス政府は2017年にやせすぎのモデルの活動を禁止する法律を制定し、有名なファッションブランドもやせすぎのモデルは採用しないことを表明しています。

日本人は平均的に小柄《こがら》なので、日本のブランドは、欧米よりもきゃしゃなサイズで服を提

図 2-2　コルセット
19 世紀後半頃まで，コルセットで細いウエストを作りだすことがはやった

供することもあるようです。そんなかわいい服を着た雑誌のモデルにあこがれることはよくある話ですが、最近は小学生向けのファッション誌でも読者モデルが活躍《かつやく》し、やせ願望が低年齢《ねんれい》化していることが問題視されています。骨格の成長の大切な時期に極端なダイエットをすると、生理が止まったり、身長の伸《の》びが悪くなったりと、危険です。

　しかしそもそも、栄養をとるのに困らない、現代という時代が特殊《とくしゅ》なのです。これまでの時代は、多かれ少なかれ食糧《しょくりょう》事情は大きな問題でした。大昔であれば気候の変化で作物が育たなくなったり、あるいは貧富の差による飢《う》えがあったり、近代になっても戦争によっても食糧事情は左右されてきました。そしてヒトも生物として、子孫を残すことは大切です。人口減少がニュースで話題になりますが、それぞれの国の維持《いじ》と、そもそものヒトという種

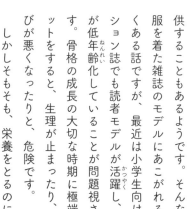

を維持するためには、子どもを残すことが課題となるのです。

近代以前の社会では、子どもを産んで育てるためには、なにより食料の確保が重要でした。そこでは子どもを育てるのに適した、ふっくらとした身体が女性として評価されていたであろうと考えられます。ふっくらとした身体は健康的で、子を産むことに適しているようにみえるだけでなく、子を育て上げるための裕福《ゆうふく》さの象徴《しょうちょう》とも受け止められるからです。

社会全体が裕福になり、そして子育てだけでなく社会に出て仕事をすることも女性の生き方のひとつとされるにしたがって、女性の身体の評価が変わっていったようです。コルセットからの脱却《だっきゃく》の背景には、外に出て働くという女性の役割の変化もあるのでしょう。動き回るためには、大げさなコルセットはじゃまになります。コルセットをはずしても美しい体形を維持するために、女性のやせたい願望は強くなっていったのではないでしょうか。

そういう意味でいうと、「やせた身体」とは、出産して家で子育てをするという女性の役割から脱却した、新しい女性の身体イメージとも考えられます。つまりやせることは、生物としての女性性を否定しているとも考えられるわけです。

女性のやせ願望が複雑である要因は、ここにあるのかもしれません。つまり、やせ願望には、大人になりたくない、女性になりたくない願望が入り交じっていたりするのです。

やせ願望の複雑さ

やせの願望は危険と隣《とな》りあわせです。やせ願望の先には、「摂食障害《せっしょくしょうがい》」とよばれる恐《おそ》ろしい病が待ちかまえているからです。摂食障害とは、拒食《きょしょく》やむちゃ食いなど食行動の障害をさします。

摂食障害は思春期に多く発症《はっしょう》するといわれ、病かどうかの境は極めて微妙《びみょう》です。しかし心身のトラブルのなかでも治りにくく、死に至ることもある怖《こわ》い病なのです。1980年代にアメリカで、誰《だれ》からも愛された美しい歌声を持つ歌手のカレン・カーペンターが、拒食症《きょしょくしょう》がもとで亡くなりました。それまではダイエットで亡くなるなんて思いもしなかったことで、この衝撃的《しょうげきてき》なできごとから、拒食症という病の存在が、世に知られることになったのです。

「拒食」は言葉の通り、生命の根源である食を拒《こば》むのですから、死に近い危険な病といえます。これ以上の体重軽減は命にかかわるという状況《じょうきょう》で緊急《きんきゅう》入院した女の子たちは鼻から栄養補給するチューブを付け、そんな危険な状況であるにもかかわらず、自身の骨と皮だけのガリガリの脚を美しいと思いこみ、少しでも太ることを拒み続けるのです。強制的な栄養補給を拒絶《きょぜつ》して、病院から逃《に》げ出《だ》す患者《かんじゃ》もいると聞きました。

自分のまわりにはそんな人はいないと思うかもしれませんが、入院している少女たちは礼《れい》儀《ぎ》正しい優等生が多く、学級委員や部長をしているまじめなタイプの子を多く見ました。女性アスリートにも、摂食障害に苦しんでいる人たちがいるという報告もあります。こうした状況におちいる可能性のある人たちは、身近にたくさんいるのです。

周りの目を気にするまじめタイプは、周りを気にしすぎることがダイエットにつながっている可能性があります。そのうえ、ダイエットは「体重という「数字」」で成果を目にすることができます。まじめなタイプは数値にやりがいを感じて、罠《わな》におちいってしまうのでしょうか。いずれにせよ問題は、目標とする身体イメージがだんだんと麻痺《まひ》してゆがんでいくことにあるのです。

摂食障害を診断《しんだん》するテストでは、やせた女性、太った女性、中肉中背《ちゅうにくちゅうぜい》の女性など、複数の身体のシルエットを見せて、理想的なボディイメージはどれかを選ばせます。摂食障害では、選ぶボディイメージがやせやせの方へとゆがんでいます。

棒のようになったガリガリの脚を美しいと思ってしまうことは、まさしく悲劇です。そしてふくよかな身体を拒絶する背景に、女性としての成熟を拒絶して中性のままでいたいというタイプも混在することも、問題を複雑にしているようです。

筆者は大学付属病院の医師と協力して、自分と他人の顔を見ているときの脳活動を計測しました。身体イメージがゆがむように自分の顔イメージもゆがんだり、自分の顔を見ることに過敏《かびん》に反応したりするのか。あるいは他者からの評価に敏感《びんかん》であるがために、他者の顔への脳活動が過敏になるのか……? 摂食障害のなんらかの兆候をその脳活動から調べられないかと、入院している摂食障害の人たちの協力で実験を行ったのです。顔を見る脳活動の計測結果から、摂食障害の検査を作成できないかと考えたのでした。

実験の結果、摂食障害の少女たちは、通常よりも他人の顔への脳の活動が高いことがわかりました。顔を見るときの脳活動から摂食障害を診断する可能性ができたのです。そしてこの研究から、自分の身体や顔への関心よりも、周囲への関心の高さが彼女たちを苦しめている可能性を知ることができました。

彼女たちは他人の顔や身体、さらには自分の感覚にも敏感になっているのかもしれません。

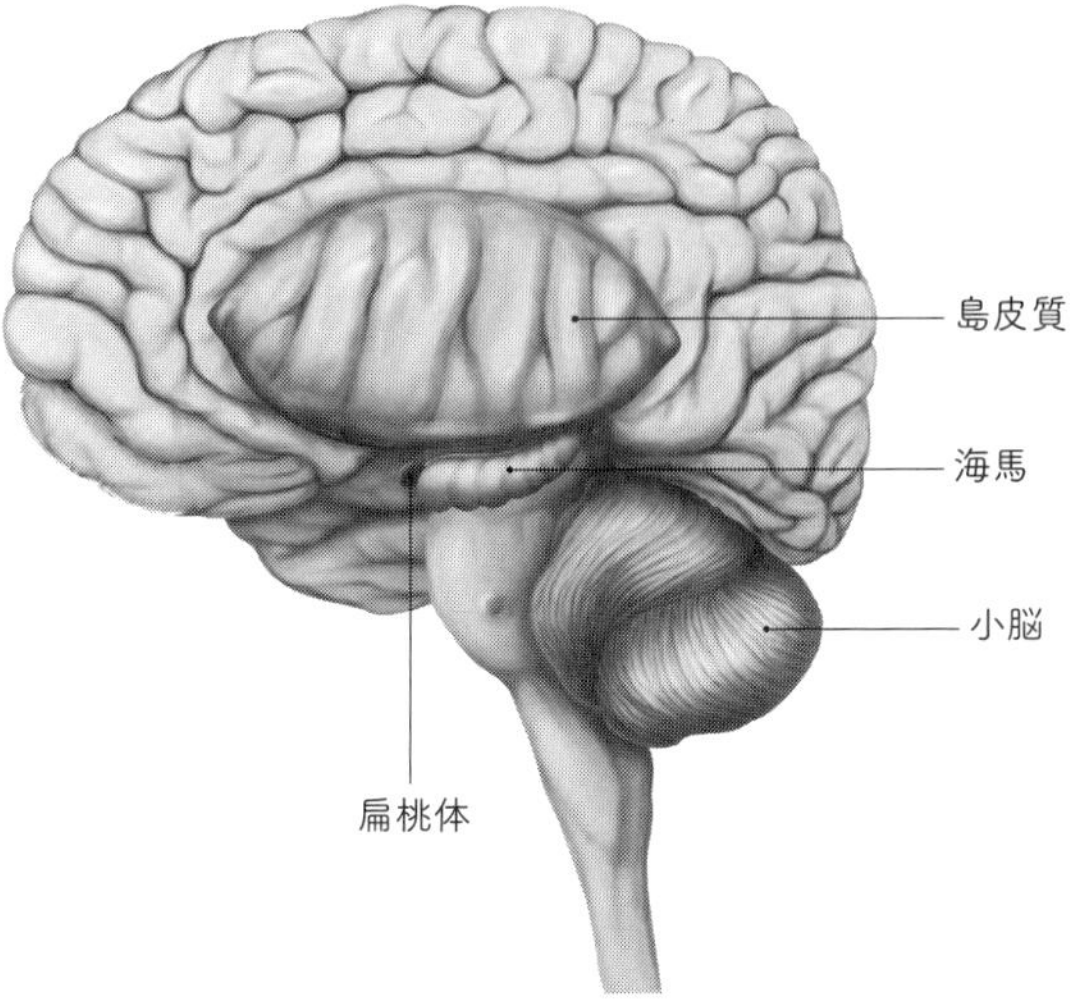

図 2-3　**島皮質**

深部にある島皮質では，内臓感覚や味覚，さらに情動や報酬共感や社会的痛みにもかかわっているとされる．近くに記憶にかかわる海馬と情動にかかわる扁桃体がある

摂食障害の患者では感情と自分の行動に密接にかかわる脳の島皮質《とうひしつ》に問題があるという報告もあり、自身の内臓感覚に集中するように課すと、背側中部《はいそくちゅうぶ》島皮質が過剰《かじょう》に活動することも明らかになっています(図2-3)。これは近年話題となっているストレス下での腸内環境《かんきょう》と脳との関係を示す研究ともいえましょう。

社会から求められる顔身体、拒絶する身体

摂食障害は病との境界がわかり

にくいのですが、大学の授業で摂食障害の話をすると、学生の中にその兆候を見つけることもあります。摂食障害患者には様々なタイプがあって、たとえば蕎麦《そば》だけしか食べないとか、バナナだけしか食べないとか（バナナでは満たされず、バナナの皮まで食べてしまうとか）、1つの食べものにこだわることもあるそうです。

ところでこれまで当然のように女性中心の話をしていましたが、摂食障害のほとんどが女性であるといわれており、病院で会った人々も全員女性、病院で用意されているボディイメージも女性用です。しかしこうしたこだわりが強いタイプの摂食障害には、男性もいるそうです。

ストレス下の内臓感覚と脳は直結しているのでしょうか。私自身も大学生の頃《ころ》、胃腸の調子が悪くてうどんを食べることが続いたのをきっかけに、うどんばかり食べていた時期がありました。卒業して5年以上たっても、学食のうどん売り場のおじさんにおぼえられていたほどでした。就職のことで親と対立し、卒業後の不安が大きくなった頃だと思います。社会に出る前に、現実社会に納得できずに拒絶し閉じこもる感じに近く、まだ外から社会を観察していた当時は、社会の様々な矛盾《むじゅん》に大人よりもずっと敏感に反応していたように思えるのです。

一方で、こうした反応をうまく社会に発散する「はけ口」もあるようにみえます。そのひとつに感じられるのが、思春期の女子特有の、同年代の間でしか通用しない自己表現です。たとえば誰《だれ》だかわからないくらい濃《こ》いアイメイクで真っ黒に日焼けした、20年程前にはやったヤマンバメイクやギャルメイク(図2-4)、ゴスロリなどです。

いずれも同世代の仲間内の間ではわかりあえるものの、そこから少しでもはずれると、魅力が理解できない。しかも時代に敏感で、はやりが目まぐるしく変わるという特徴があります。

こうした少女たちのなかには、「ブス」と言われ続けた、つらいいじめの体験者もいるようです。自分を変えたいという動機があるのでしょう。そこで変身するのが、受けのよい一般的《いっぱんてき》な

図2-4 ヤマンバメイク
1990年代後半から2000年にかけて流行した(写真：123RF)

女性像ではなくて、自分たちの世界観で作った女性像であること。そこに彼女たちの力を感じます。「社会の求める女子像を、自分たちなりに変えてやろう」とする気持ちにも思えます。

そのギャルメイクの対極にあるのが、就職活動を始めた学生たちの様子です。全員同じような、無個性なメイクと同じような髪形や服装になっていきます。ひるがえって考えるとギャルメイクの女子高生たちは、ありきたりな社会が要求する女性像を拒絶し、それをあざ笑うかのような独特の自己表現をしているようにもみえます。このように「ギャル」たちが社会から自由に逸脱《いつだつ》して楽しんでいるのに対し、摂食障害におちいる子たちは、まじめで期待される理想的な女子像にあわせようともがき苦しんでいるようにも思えます。

私が出会った摂食障害の少女たちで印象深かったのは、ほぼ全員が、優等生らしいストレートな長い黒髪《くろかみ》だったことです。その痛々しい姿を見ながら、周囲の期待にあわせようとする気持ちと、女性としての成長を拒絶しようとする矛盾とを抱《かか》えているように感じたのです。

摂食障害は、なによりも周囲からどうみられるかを前提とした病です。ギャルと摂食障害者は、ともに女性がさらされがちな「見られること」を過剰に意識している点では共通していながら、まったく違《ちが》う方向に向かっているという点で興味深く思うのです。

いわゆるギャルたちは社会との葛藤《かっとう》を目の前に、自分たち世代の趣味《しゅみ》をメイクや服装にこめて外向きに全開させるオタクであるかもしれません。そうなると一方の男子のオタクは、表現が内向きにも感じられます。男子の方は一緒《いっしょ》に集まり、鉄道やアニメやゲームや自分たちの趣味を内向きに開示しあう、自分たちだけのオタクな社会を作ることが多いようです。

どちらかといえば内向きになる男子と、常に「見られる」存在という点で社会から逃げられない女子、ここに男子と女子の違いがあるようにも思います。その違いを作りあげるのは、男女という生物的な違いなのか、それとも社会的な原因があるのでしょうか……？

ボディイメージをめぐる対立

思春期になって男女の違いがはっきりすると、男女のボディイメージの押《お》し付《つ》けに苦しむこともあるのではないでしょうか。

私が大学で心理学を学ぼうと思ったきっかけとなったできごとは、身体にかかわるものでした。小学校にあがったばかりの頃、母の実家の緊急《きんきゅう》事態の知らせを受け、両親と一緒に向かったところ、当時20代だった叔母《おば》が2階に閉じこもり、ダイエットのための美容体操をひたすら続けていました。幼い当時は状況《じょうきょう》がよくわからなかったのですが、親子関係に問題があったようにも思います。

しばらくして高校生になった頃には、叔母が長く暮らすことになる病院のある伊豆まで叔母と私の2人で遊びに行ったことをおぼえています。祖母の経営する店の手伝いも叔母と一緒にして、叔母と祖母の親子げんかのあげく叔母がトイレにお金を捨てるといった葛藤の断片を耳にもしました。母も亡くなった今では事情を知る人もおらず、なぜ自分がそんな状況に置かれていたのかは謎《なぞ》のままです。

私自身は、中学生になって制服でスカートをはくことが嫌《いや》でたまりませんでした。それまで動きやすいジーンズで登校していたので、なぜ女子だけが無防備なスカートをはかねばならないのか、不満でいっぱいでした。制服のスカート姿でなければ、痴漢《ちかん》にもあわないのにと思います。決まった時間に通う中高生は、乗っている電車が決まっている上に、制服は目立ちやすく、痴漢の格好のターゲットになりました。もちろんオシャレで制服を着るという選択《せんたく》はありますが、スカートかズボンかの選択くらいはあってもよいのではと思います。

社会人でも同じことがあります。なぜ女性は職場でストッキングとパンプスをはいて過ごさねばならないのでしょう？　自分が好きで選ぶのならばかまわないのですが、それらを強制する仕事上の理由があったら、教えてもらいたいものです。「パンプスをはくことが女性のマナー」といわれますが、しかしこの主張もくつがえされ始めています。

２０１６年にはイギリスでハイヒールをはかなかったがために帰宅を命じられた女性が10万を超える署名を集め、政府がフラットな靴を認めるようにと通達《つうたつ》を出しています。フィリピンでは２０１７年に、労働雇用省《こようしょう》が立ち仕事をする女性スタッフにハイヒールを強制することを禁止しています。

日本でも「#ＫuＴoo」キャンペーンとして、ハイヒールの強制への抗議《こうぎ》活動がネットの署名サイトで行われました。オンラインでの署名は1万8０００人を超え、２０１９年6月3日には厚生労働省に強制禁止の法規定を作ってほしいとの要望と署名が提出されています。時代は変わり、パンプスをはくことがマナーだとか社会常識だから、という話は成り立たなくなっているのです。

しかしどうして、このように声をあげるまでは、自分の身体に関することを自分の頭で考えずに既存《きぞん》の決まりに任せてしまっていたのでしょうか？　ＴＰＯにあわせて、その日の雰《ふん》囲気《いき》やその日会う人との関係を考えて日々服を選ぶのは、面倒《めんどう》なことかもしれません。何も考えずに着られる制服は、なんと便利なものかと考える人もいるでしょう。仕事をしている間くらい、服のことなどで惑《まど》わされたくないという気持ちもわかります。

その一方で、着る服を他人に決められているということは、自分を売《う》り渡《わた》してしまっているようで、切なくも感じます。服は、自分の大切なボディイメージの一部です。自分が何者かを表現するものであり、その身体表現の一部を奪《うば》われたまま過ごす時間は、苦しいのではないでしょうか。そしてその日の雰囲気やその日に会う人で服装を考えることは、自分自身を考えることにもつながる大切なないとなみではないかと思うのです。

私の考えは極論かもしれません。ただ、制服を着るにしても、選択する余地があればよいのだと思います。たとえば規律が厳しいイスラムの女性の服装ですが、彼女らは、どのような気持ちで定められた衣装を着ているのでしょうか？　一部の宗派では、女性は全身を包む黒い衣装を身にまとい、人前ではベールで顔を隠《かく》さねばなりません。好きな服を見せるどころか、好きな髪形も見せることができないのです。決まりは厳しく、息がつまりそうです。

しかし意外や意外、定められたルールのなかで楽しんでいる人もいます。黒いベールの下には、きらびやかで肌《はだ》の見える衣服を着こんでいて、女性だけの集まりで見せびらかしていたりします。ベールそのものも楽しみのひとつになっていて、ベールに使う布を毎日とっかえひっかえ楽しんでいたり、ベールを利用してコスプレをしたり（ベールを髪型と模するのです）、ゴスロリ風にアレンジしたりと、楽しみの幅《はば》も広がっています（図2-5）。

図 2-5　ベールのコスプレ

ベールをつけながら，人気漫画『ヲタクに恋は難しい』のコスプレをする２人（写真提供：東京外国語大学アジア・アフリカ言語文化研究所 床呂郁哉教授）

つまり気持ちの切《き》り替《か》えで、決められたこともコスプレのひとつとして楽しめるわけです。こうした発想の転換《てんかん》は大切です。強制されるのはごめんですが、制服もハイヒールも自ら選んでアレンジすることが許されれば、コスプレのひとつだと楽しむことができるわけです。

男と女のボディイメージ——違いはどこにある?

これまでどちらかというと、女性の話を中心にしてきましたが、ここでは、男女の違いを生物に追求する進化心理学の話に移ります。生物から引き続き私たちヒトが持ち続けることに、男女の身体的な相違《そうい》があります。

男女の身体的な違いは「性的二型《せいてきにけい》」とよばれ、様々な生物で男女の姿かたちは異なっています。地味な体色のメスに比べて、色あざやかな姿をしたクジャクやオシドリの繁殖期《はんしょくき》のオスのように、身体的な特徴《とくちょう》から雌雄《しゆう》を見分けることができる動物もいます(図2-6)。

このように、生物には男女の違いが一見してわかりやすい種もいれば、わかりにくい種もいます。ヒトに近い霊長類《れいちょうるい》であるチンパンジーやゴリラ、オランウータンでは、性的二型の程度はまちまちです。ゴリラのオスは、メスとは違う種かと思うほど大きな体格差がある一方で、チンパンジーの雌雄の体格差は小さいのです。

この雌雄の体格差は社会構造と関係すると、動物行動学者の榎本知郎《えのもとともお》が説明しています。榎本は、このメスの体格の大きさと睾丸《こうがん》の大きさを比較してみました。身体が大きいことは体力勝負でけんかに勝って子孫を残すことと関連していると考えられているため、それよりもっと直接的に子孫を残すことに関係する、精子《せいし》を作る睾丸の大きさを比較してみたのです。すると、睾丸の大きさは体格の大きさと逆転していて、メスと体格差のないチンパンジーの方が立派な体格をしたゴリラよりも大きいことがわかったのです。

チンパンジーは子孫を残すために精子の数で、ゴリラはメスを得るのに体格で勝負するために、この逆転がおきたのだと榎本は解説しています。そしてそれは、それぞれの種の社会構造の違いにつながるというのです。

図2-6　オシドリにみられる性的二型
うしろがオス（写真：123RF）

体格の良いゴリラはその身体でライバルを蹴散《けち》らし、1頭のオスが多数のメスを率いる一夫多妻の婚姻《こんいん》形態となります。一方のチンパンジーは、多数の雌雄の集団社会を構成し、交《こう》尾《び》は自由でメスもオスの選択権をもち、必ずしも群れのなかでの順位が優位なオスがメスに好まれるわけではないらしく、チンパンジーは子孫を残すための競争を、体力ではなく精子の量で行っているというのです。

それでは、人間の身体は、どうなのでしょうか？　発掘《はっくつ》された人骨から年齢《ねんれい》や男女が判別されるように、人間も体格や骨格から男女を見分けることができます。ゴリラほど強烈《きょうれつ》な体格差はないのですが、男性の象徴である広い肩幅《かたはば》とともに、顔の幅やあごの発達に「男らしさ」が表現され、この骨格の形成には男性ホルモンが影響《えいきょう》していると考える研究もあります。

顔幅と男らしさを調べる研究は多く、進化心理学で著名なデイヴィッド・ペレット教授が総説するに、実際に男性ホルモンの影響があるのはあごの成長で、顔幅はホルモンとの関係はないにもかかわらず、男性らしさの見た目の印象を左右すると言います。このように、人間では男女の区別に顔の形態が重要な働きをしているようですが、これ以外にも、歩き方やしぐさや表現などで男女の「らしさ」を演出することができます。

さて、ここで問題になるのは、男女の身体と心の一致《いっち》・不一致です。身体と心の性が一致していれば楽ですが、男性の身体に女性の心、女性の身体に男性の心という、身体と心の性が不一致なこともあります。

特に性別の違いが明確となり始めた思春期では、この問題は大きいのではないでしょうか。

男女の心と身体を描《えが》いたものとして、２０１６年に公開されて流行したアニメ映画「君の名は。」では、男女の身体が入れ替わるエピソードを取り上げています。こちらは恋愛《れんあい》映画のサイドストーリーの扱《あつか》いでしたが、１９８０年代の映画「転校生」では、男女の身体がすり替わる様子を実際の10代の俳優が演じていました。男性の心にすり替わってしまった女優、小林聡美《さとみ》さんの演技が印象的でした（図2-7）。

図 2-7 「転校生」

1982 年大林宣彦監督（山中恒原作）で，小林聡美と尾美としのりによって男女の入れ替わりが演じられた（製作：日本テレビ放送網／日本アート・シアター・ギルド，配給：松竹）

女性の容姿でも、ちょっとした歩き方や立ち位置、しぐさを変えるだけで、男っぽさをかもし出すことができるのです。もちろん演技がすばらしかったことはいうまでもありませんが、ここからわかるのは、女の子だったら首をかしげて内股《うちまた》でちょこちょこと歩いたり、男の子だったらあごをつきだして堂々とがに股で歩いたりと、男や女を示す典型的なしぐさや行動パターンがあるということ。私たちは知らないうちにそれらを身に付け、ふるまっているのです。

心と身体の性の不一致に関する悩《なや》みは、映画のように男女で心が入れ替わるという単純なものではないようです。動物のように雌雄がはっきりしていないのがヒトの性といえるでしょうか。女から男へと身体は男性に変身しても、パートナーは女性ではなくて男性がいいとか、男性も女性もどちらもいいとか……。なかには、女性に成熟する前の平らな胸の中性の姿でいたいと、手術をする人もいます。

心と身体の不一致の原因として、ストレスによって母親の胎内《たいない》の性ホルモンのバランスが狂い、胎児に影響するという説もあります。しかし科学的根拠にとぼしいのによく知られている「男脳・女脳」と同様に真偽のほどは疑わしく、様々な思いが交錯《こうさく》したなかに、それぞれのボディイメージがあり、自分が望むボディイメージを持つことによってはじめて安定した気持ちになるのです。人の世界は複雑なのです。

身長差で感じる自意識の違い

さて、「頭がよくなる」「背を伸ばす」といった、いかにもあやしげな広告を、ティーン向けのファッション誌やマンガ雑誌などで見かけます。こうした広告は昭和の時代からあり、広告で紹介《しょうかい》している商品や方法は時代とともに変わるにしても、いつの時代も、悩みは同じであることがわかります。

じつは私も子どもの頃、軽い気持ちで「背を伸ばす」という広告に書かれた住所に資料請《せい》求《きゅう》のはがきを出してみたことがあります。送られてきたのは、拍子抜《ひょうしぬ》けするようなものでした。背を高くするためのニンジンやホウレンソウといった食べ物のリストと、猫背《ねこぜ》にならない、スポーツをするなどといった生活上の注意点が書かれていて、最後にぶら下がって背を高くする道具の案内があっただけでした。今では、「背が伸びるサプリ」などという、効果が実証されているかもわからないものを売っているようです。

児童期や思春期に身長が伸び悩むのは、時代を超えて共通なのでしょう。しかし背が伸びるタイミングは人それぞれで、あるとき急激に成長することもあり、こうした悩みは一時だけということも多いようです。

女性の場合は中高生くらいになると逆に、今度は背が高すぎることが悩みの種にもなります。背の高い女性には、なるべく背が低く見えるようにと猫背の姿勢がくせになっている人も少なくありません。男子よりも背が高くなりすぎてしまうことがコンプレックスになるのです。私自身も小学生のときには背が伸びる広告が気になる一方で、中学生になって背が伸び始めると、今度は大きくなりすぎないかと気になりだしました。

このように、身長ひとつでコンプレックスを感じることも多いのです。ですが、高校生のときには男子との身長差ばかりを気にして高すぎるくらいに思えた身長も、スタイルを気にし始める大学生くらいになると、逆に背の高い人がうらやましくなったりします。くだらないと思える一方で、身長は意外に重要だと思うことがあります。それは見た目というよりは、自己意識への影響です。

自分の姿を自由に表現できるバーチャルリアリティ・チャットの世界で自分をあらわすアバター(図4-1参照)では、身長の違いも楽しんでいるようにみえます。男性アバターは理想的に高い身長を、一方女性のかわいいアバターは130センチくらいと、身長差をうんと強調するのです。

理想の身長に自由自在に変えられるとは、なんと爽快《そうかい》なことでしょう。しかし自分の身長とあまりにもかけ離《はな》れると、アバターを自分の身体とする「身体所有感」が感じられにくいのではないかと疑問がわきます。実際にバーチャルリアリティの業界では、アバターの身体構造や外見は自分に近い方が、身体所有感を体験しやすいといわれています。

では、童話の『不思議の国のアリス』では、アリスは薬を飲んで部屋ギリギリの大きさまでにふくれあがったり、ネズミとおなじくらいまで縮んだりしましたが、そんな感覚をアバターの身体で体験できるのでしょうか？

アリスの体験とほぼ同じくらい極端《きょくたん》に大きさを変えた、巨人《きょじん》の人形や小人の人形に「身体所有感」を持てるかを調べた実験があります（図2-8）。実験ではバーチャルリアリティのゴーグルを着け、自分の身体が人形の身体にすり替わり、すり替わった身体が触《ふ》れられる映像を見ます。この接触《せっしょく》と同じタイミングで、自分の身体が実際に触《さわ》られます。これをくり返していくうちに、人形の身体が自分の身体のように感じる「身体所有感」が生まれるといいます。それだけでなく、周囲の景色が、巨人や小人の人形から見たときの大きさに変わっていくそうです。不思議の国のアリスの世界を体験するかのようです。

身長の違いによって周りの風景が変わるわけですから、身長の異なるアバターで動き回っ

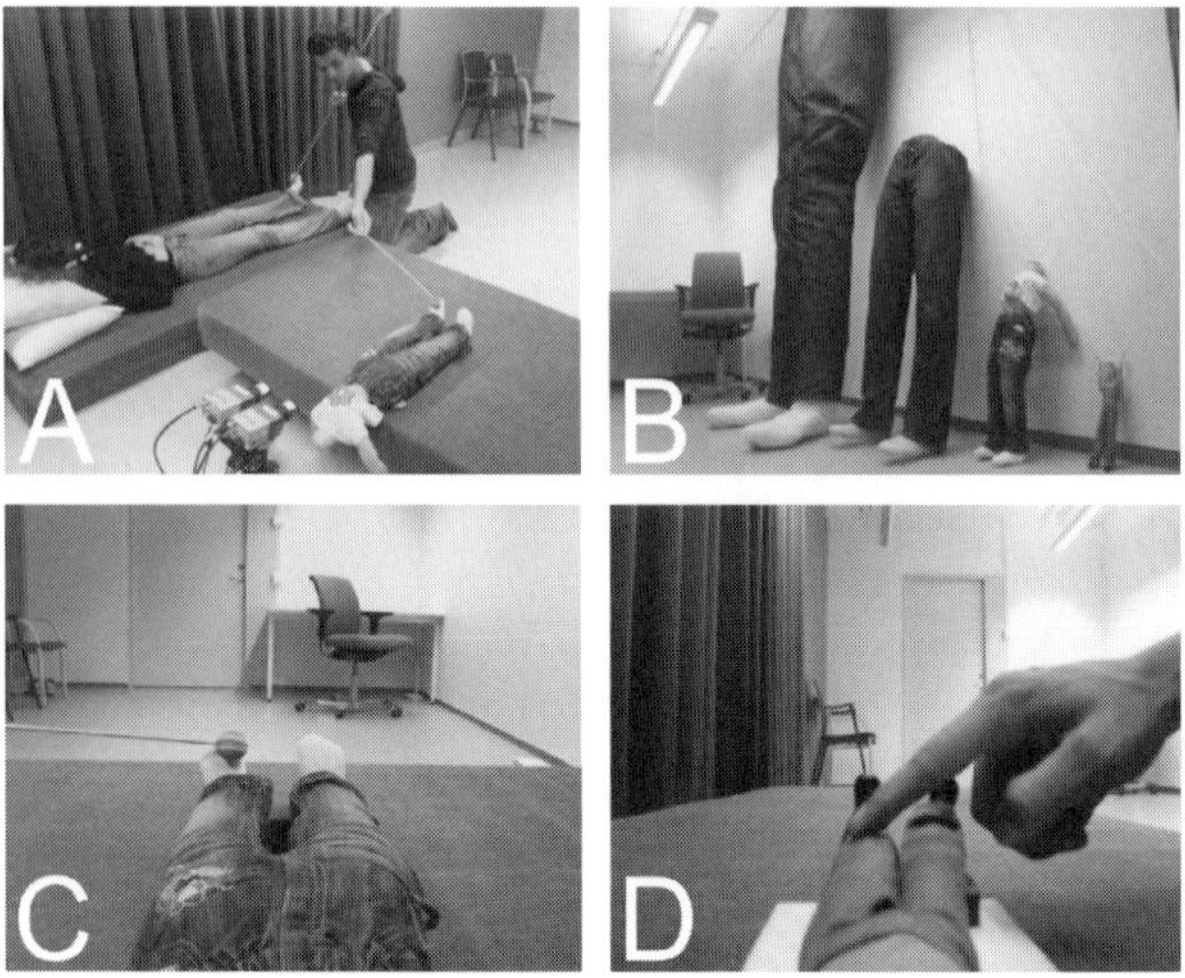

図 2-8　小人と巨人にすり替わる実験

論文のタイトルは「Being Barbie(バービーになる)」. 自分の身体が小人や巨人にすり替わったかのように感じる実験. Bのような巨人や小人の身体をCやDのように触られている映像を見続けると, すり替わったように感じられる. そのからくりはA(van der Hoort, Guterstam & Ehrsson, 2011, *PLoS ONE* 6(5)より引用)

たら、世界の見方も変わるのではないでしょうか。そんな風に考えたのは、高いヒールの靴をはいて電車に乗ったときのことを思い出したからです。平均よりやや上の身長で高いヒールをはくと、人混みで頭ひとつ分高くなり、周囲を上から見下ろせます。混雑している電車の中では人の背中を見るよりも気分がよく、身長の違いによって世界が違って見えることをはっきりと実感しました。

もうひとつ真逆の体験として、

外国人の同僚《どうりょう》と仕事をしていたときのことです。１８０センチくらいの長身の外国人同僚たちが相手だと、常に見上げていなければなりません。上ばかり見上げていると首は疲《つか》れるのですが、なんとなく気楽に頼《たよ》れる気分になりました。

つまり、いつも上目づかいで見上げているか、上から目線で見下ろすかをして生活する、ただそれだけで、気分や自己意識すらも変わっていくようなのです。これはじつにおもしろい体験です。視点イコール自己のような側面もあるのでしょうか。目線の違いは、自己意識に直結するのかもしれません。

バーチャルリアリティの研究では、身長が高く魅力的な容姿のアバターを使うとコミュニケーションが変わり、自身の態度や行動が変容することをギリシャ神話に出てくる自由に姿を変えられる神の名をとって「プロテウス効果」とよんで研究が進んでいます。たとえばアインシュタインのアバターになると、自身の認知課題の成績が上がるといいます。白人が黒人アバターを体験すると、自身の心の中にひそむ人種差別的な偏見《へんけん》が減ることも、スペインの研究者によって明らかにされています。

見た目で、相手の態度だけでなく自分自身も変わるのです。そして身長の変化による視点の変化も、意外に重要だと思います。

そういう意味で配慮《はいりょ》しておくべきことは、車椅子《くるまいす》を使用する人たちの気持ちです。いつも見下ろされる視点で生活することは、それだけでなかなかしんどいこともあるでしょう。そのように、ふだんの自分とは異なる視点から周囲を見てみることも、大切だと思います。

ボディイメージの発達と文化

ではここで、ボディイメージの発達と文化差についてお話ししておきましょう。子どもの頃に、どんな「人物画」を描《えが》いたかをおぼえているでしょうか。アニメの影響を受けているのが一目でわかるような、お人形さんのような人物、キラキラ大きな目の女の子を描いた人も多いことでしょう。頭が大きくて身体が小さい、顔が中心の、不自然な身体バランスが描かれることも多いです。このような絵は、アニメや漫画《まんが》の影響を受けている可能性があります。そうなると国や文化によって表現は違うかもしれません。

しかしそれをさかのぼること3歳《さい》くらいになると、世界共通の不思議な身体の絵が登場します。人体構造をまったく無視した、へんてこりんな絵です。頭から手足が出て、胴体《どうたい》のな

図 2-9　頭足人

世界中のあらゆる国で，子どもの頃に描かれるという頭足人

い人。まるで虫のような身体です。大人には理解できない妙《みょう》な絵ですが、この年齢の世界各国あらゆる国の子どもが描く、「頭足画《とうそくが》」とよばれるものです（図2-9）。

胴体がない顔と手足だけから出発して、やがて描かれるのは貧弱な胴体。どうやら子どもにとっては、胴体よりも顔の方が大切なようです。実際に、身体のなかでは顔と手が触覚的《しょっかくてき》にも敏感で、よく目に触れる箇所《かしょ》でもあります。

私が専門のひとつとしている赤ちゃんの研究からも、顔と手足の重要性は明らかにされています。赤ちゃんを観察すると、自分の手足をしげしげと見ている姿がよくみられます。実験から、生後半年程度の赤ちゃんでも、自分の足の動きや、手に与えられた刺激《しげき》の動きを把握《はあく》するなど、自分の身体にかかわるできごとを把握していることがわかっています。

当たり前のようにもみえますが、まず認識するのは手と足なのです。もちろん赤ちゃんは、自分の身体の動きをわかっているのかを言葉で教えてくれるわけではありません。センサーを使って赤ちゃんの身体の動きと連動した動きをコンピュータで見せると注目することから、自分の身体の動きを把握していることが推測されるのです。自身の身体に関するイメージは、よく動かして実感のわく手足から生じるようです。よりくわしくいうと、自身の運動をとらえる「運動主体感」と自身の身体に関するイメージ(スキーマ)が、そこにあるのです。

一方の顔についていえば、自身の身体というよりは、他者を知る手がかりとして使われます。こちらの方も、生まれたばかりの赤ちゃんですら顔を見ようとし、特にお母さんの顔の方を向くことが実験から明らかになっています。

顔は特殊な対象であるため、脳には顔だけを処理する特別な領域である「顔領域」とよばれる部分があります。そしてその横に、身体を処理する「身体領域」があるのです。

赤ちゃんは、顔だけでなく身体もわかっていることを示す研究もあります。身体の関節点の動きだけからそれが人の動きとわかる「バイオロジカルモーション」という現象があります(図2-10)。この動きから、動いている人の感情や印象、男か女かもわかるのです。

生後7か月頃の赤ちゃんでも、バイオロジカルモーションを人の動きとして見ていることが実験によって示されています。先の身体感覚の獲得《かくとく》も、生後7か月でした。顔と身体の認識にかかわる根幹は、この頃すでにできあがっているのかもしれません。

さて、子どもが描いたアニメのような人物画に話を戻《もど》すと、子どもは素直に周囲の影響を表現しているようにみえます。子どもたちが描く、目が大きすぎたり身体が貧弱だったりする絵は、日本のアニメ文化や漫画の影響を受けた子どもたち特有の表現かもしれません。アニメの誇張《こちょう》が当たり前でグロテスクに見えないのは、こうした文化に慣れているせいで、そうでない文化もあるかもしれません。描かれた絵から、文化による違いを考えてみたらどうでしょうか。

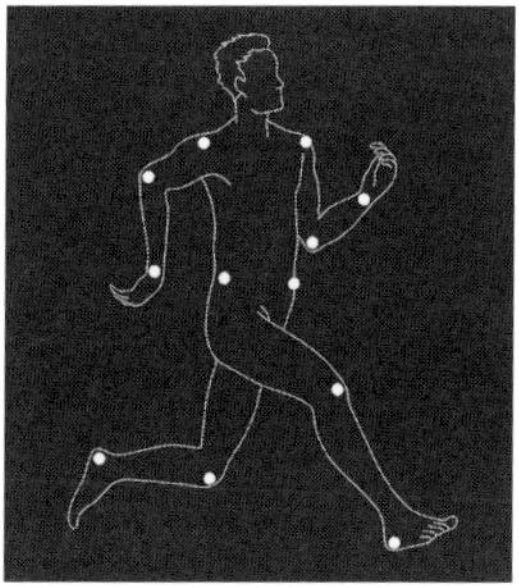

図2-10　バイオロジカルモーション

身体に打たれた点の動きだけから，身体の動きであることや，男女どちらの動きかもわかる（Johansson, 1975より改変）

筆者は、顔と身体に関する異文化比較《ひかく》研究のチームを率いています。様々な地域文化を研究する文化人類学者の研究チームもあり、タンザニアで描かれた顔の絵を見せてもらったことがありました。タンザニアの人たちは筆記具や絵を描くことに慣れていないせいか、近代的絵画の法則から離《はな》れた表現が多く、不思議な印象でした。

なかでもひとつ、とても奇妙《きみょう》に思えたのは、顔の絵になぜか「肝臓《かんぞう》」が出てくる絵でした。その絵は気持ち悪くすら感じました。しかし、そう思いながらもふと、日本の昔話「さるのいきぎも」を聞いたときに感じた気持ちの悪さを思い出しました。乙姫《おとひめ》様の病気を治すためにサルの胆《きも》をほしがるお話です。

昔話に出てくる胆とは、魂《たましい》をあらわします。タンザニアの人物画の横に描かれた肝臓も、「さるのいきぎも」と同じように、その人の魂をあらわしていたのかもしれません。しかし胆や肝臓は生々しい臓器として感じられ、それを魂として示して絵に描きこむことには、日本人からするとなんとなく不気味と感じてしまいます。

ところがよく考えなおすと、私たちの身のまわりには、絵や絵文字や商品のデザインなどにも、ハートマークがよく飛び交っています。このハートとは、そもそも心臓ですが、なぜ、心臓であるハートが飛び交うことは気味悪く思わないのでしょうか？

ハートがマークとしてかなり抽象化《ちゅうしょうか》されているということもありますが、やはり「慣れ」

が重要なのでしょう。心臓なら気持ち悪くなく、肝臓だと気持ちが悪い、というのは不公平ですが、ハートはトランプにも登場し、そうした西洋の文化に慣れてしまっている証拠《しょうこ》なのかなと感じました。つまり私たちの身体感には、文化の影響も色濃《いろこ》く映し出されるのです。

ボディイメージは健康さが大切？

さいごに一般的《いっぱんてき》なボディイメージについて、もう少し考えておきたいと思います。私は幼い頃、「かわいそうな話」を読むのが好きでした。子ども向けのおとぎ話には、みなし子であったり、不治の病気になったりと、かわいそうな境遇《きょうぐう》におちいる主人公の話が多くあります。

不幸な境遇に涙《なみだ》する話は、子ども向けだけではありません。病による突然《とつぜん》の不幸を描くノンフィクションは、広く人々の心を感動させ、映画化されることも多くあります。それは人の強さを感じさせられるものであり、また、私たちの人生が病とともにあることを実感させるからなのでしょう。

しかし「病気」とは、どのような状態のことをさすのでしょうか？　たとえば手術をして治療《ちりょう》をして、その後も継続《けいぞく》して検査を受けるとして、その間はずっと「病気」ということになるのでしょうか？ 病にいる当事者からすると、病気が発覚した当初はショックですが、その後はそれが日常になります。目の前にある問題を、ひとつひとつ乗《の》り越《こ》えることだけ。病になった後も、生きているのです。

まえがきでお話ししたように、私自身がこの本を書く直前に「がん」と診断《しんだん》されました。がんは厄介《やっかい》な病です。病巣を手術で取っただけでは、終わりません。通院しながらの長い抗《こう》がん剤治療《ざいちりょう》や放射線治療が数か月も続きます。そのうえさらに、見落とした小さながん細胞《さいぼう》が残っていないか、再発はないか、すべての可能性を引き続き検査しながら過ごすのです。それは5年あるいはそれ以上続きます。手術や治療によって消耗《しょうもう》した体力を取り戻すのも、1年から3年くらいはかかるでしょうか。

長い治療の間に周りの人々に伝えたかったことは、「ふつうに社会生活を送れるときは送りたい」ということでした。ふだんよりは疲《つか》れるのが早いけれど、調子がいいときはふつうの人と同じように生活することができることもあります(それでもスイッチが切れるように限度を超えるとぷつんと全身疲れるので、自身の限界を知るのが厄介なのですが……)。

そんな際に一番困ったのは、「私は病気だ」あるいは「私は健康だ」という明確な線引きができないことでした。治療の間には状況の微妙な変化があり、健康か病気かの白黒つかない状況がほとんどで、それを病気か健康かの白黒で無理やり判断するのは難しいのです。

結局のところ、白黒の判断をつけさせようとするのは、社会だと思うのです。たとえば病気というレッテルをはることは、「ふつうに働けないから退職してもらう」といったような理由づけのためにあるような気がしてなりません。そして、そこでいう「ふつう」には、社会の都合が見《み》え隠《かく》れしているような、社会として「使いやすい状態」にあるかという尺度で人を判断しているように感じるのです。

つまり病気というボディイメージは、社会で使えるか使えないか、そんな単純で一方的な価値観で作りあげられているようにも思えます。そして私たちは、こうした外から押《お》し付《つ》けられるボディイメージに縛《しば》られ、苦しめられているようにも感じるのです。

自分の身体が、一般的なボディイメージからはずれていると決めつけられたら、どんな気持ちになるでしょうか？　それは理解してもらいにくい病気の状況だけでなく、心の問題すべてにかかわることだと思います。

そしてこうしたボディイメージの押し付けは、社会からだけではなく、家族や親からもあるようにもみえます。たとえば親が子どもに求める理想がそれです。社会が求める伝統的な女性らしいとか男性らしいなどのボディイメージや、親や家族が求める同様なボディイメージ、私たちはそれにあわせようとして苦しむことはないでしょうか。無理にあわせようとして、自分の「ボディイメージ」がゆがんでいくことはないでしょうか。こうした苦しみを持つこと自体が家族や社会を抱える人間の特徴であり、その苦しみを乗り越えることが成長なのかもしれません。

しかし時と場合によっては、そこから様々な問題や苦しみが生じるように思えてなりません。健康な身体であるよう努力する気持ちは大切ですが、身体は人それぞれ。たとえば、健康に恵まれた人は、そうでない人に対して悪気はなくとも思いやりのない態度をとってしまいがちです。自分の理想とするボディイメージを人に押し付けない、そんな心がけも大切なのではないでしょうか。

第3章

共感覚，絶対音感，そして「痛み」を感じる身体

ルーベンス《縛られたプロメテウス》1611-12 年頃

みなさんは、どんなときに自分の身体の存在を一番強く実感しますか?

私は、痛みを感じるときだと思います。この場合の痛みとは、身体の痛みだけではなく、心の痛みも含《ふく》みます。

身体とは不思議なもので、ふつうに生活していると意識しません。しかしなんらかの違和《いわ》感《かん》を持つことによってはじめて、そこに身体があることに気づくのではないでしょうか。それこそが「今ここに自分が存在している」と、はっきりと感じとることができる瞬間《しゅんかん》だと思うのです。

つまり、なんらかの問題にぶつかって自分自身の身体を意識することこそが、この世界と結びついて生きている実感につながるのではないでしょうか。身体は、そんな重要な役割を持つのです。ふつうにしていると意識しにくいなかで、痛みという衝撃《しょうげき》や強い違和感によって、改めて身体に気づくのです。

子どもの頃《ころ》、夜中になると、膝《ひざ》から下にかけて強い成長痛に悩《なや》まされたことがありました。これ以上の痛みはこの世の中には存在しないのではと思ったほどで、しかし、大人になって薬の副作用で末梢《まっしょう》神経に問題がおきたとき、あのときの成長痛とまったく同じ痛みを感じたのです。これには強烈《きょうれつ》な痛さとともに、おおいに驚《おどろ》きました。当然ながら、成長痛と同じような支障が身体におきたわけではないのです。

じつのところ、痛みは感覚として定義するのは難しいそうです。身体感覚に強い衝撃を与える痛みや違和感は、いずれも自分自身しかわからない「主観的な」経験なのです。その痛みがどれほど強烈なのかについても、外から推測することは難しいのです。そんな曖昧《あいまい》な感覚に身体を強く感じ、そして私たちは身体にふり回されて生きているということ。それはじつに不思議なことです。

この章では、身体が受け取る感覚について考えてみたいと思います。

五《ご》感《かん》について

まず、感覚について考えてみましょう。痛みを感じるのは皮膚《ひふ》感覚の触覚《しょっかく》で、その他にも視覚や聴覚《ちょうかく》、味覚、嗅覚《きゅうかく》とあります。「五感」と言われるように、感覚は5つに分けられます。

ただし、感覚を単独で感じることは、めったにありません。たとえばコンサート会場での爆音《ばくおん》とざわめきと目の前にある人混み、甘《あま》くて温かいココア、焼きたてのホットケーキに添《そ》えられた冷たいバニラのアイスクリーム、ユリの花の甘い匂《にお》い……こうしたものを目の前にすると、視覚や聴覚、においと味覚や視覚はいっしょくたに感じられます。

みなさんも、ありありとした体験には、たくさんの感覚が入り混じっていませんか？　しかし、それぞれの感覚は独立して働いているのです。感覚を受け取る器官が眼・鼻・舌や皮《ひ》膚《ふ》と分かれていますし、それぞれの感覚を処理する脳の部位も異なるのです。

不思議なことに、一般的《いっぱんてき》な感覚を持つ人たちが感じるよりもより強烈に、感覚同士の垣根《かきね》のない人がいます。「共感覚者《きょうかんかくしゃ》」とよばれる人たちです。共感覚者にはいくつかのタイプがありますが、最も多いとされているのが「文字に色を感じる」という共感覚者で、人口の1〜2%くらいの割合で存在することが、イギリスの調査からわかっています。共感覚は芸術と相性がいいのか、芸術系の学校では、共感覚者であることを主張する学生はさらに多いとも聞きます。

こうした共感覚者は、何の色もついていない黒い文字を見て、そこに色が見えるのです。たとえば大文字でも小文字でもAは赤、Bが青色に見えると主張します。ちなみに先ほどのイギリスの調査から、こうした共感覚者の43％がAを赤に、58％がBを青か茶色、29％がCを黄色、49％がOを白と感じるそうです。

もしこんな人が周りにいたら、うらやましいと思いませんか？　じつは私の知り合いの編集者にも、共感覚者がいました。文字に色が見えるので、学生時代はその配色で英単語をおぼえていたというのです。あまりにも自然なことなので誰《だれ》にも話したこともなくて、誰もが同じように英単語をおぼえているのだと思いこんでいたそうです。そんなテクニックが使えたら、労せず英単語を記憶《きおく》できるだろうと、とてもうらやましく思ったものです。

共感覚には、様々なタイプがあります。形に味を感じる人は、とがった角に苦味、丸に甘い味を感じるそうです。他にも、アルファベットの音ににおいを感じる人、音に色が見える人、音に味を感じる人もいます。不幸にも、恋人《こいびと》の名前の音の組み合わせが嫌《いや》な味に感じられ、名前を聞くたびに不愉快《ふゆかい》な味を感じ続けるため、恋人と別れてしまったという人もいるそうです。つまり五感の組み合わせしだいで、様々な共感覚者がいるというわけなのです。

人と違《ちが》う特異な感覚能力である「共感覚」はミステリアスで、超能力者《ちょうのうりょくしゃ》のようにも思えます。実際そのように思われていた時代もありました。なぜならば有名人に共感覚者が存在することが知られていたからです。

ノーベル賞受賞で有名な物理学者のリチャード・ファインマンや、小説『ロリータ』を書いた作家のウラジミール・ナボコフと、その妻と息子も、共感覚者だったといわれています。彼らは、文字に色を感じました。歴史をさかのぼってみると、19世紀頃、遺伝的に人の優劣《ゆうれつ》を判断するという「優生学」を創設したフランシス・ゴルトンは「天才の遺伝」について探っていましたが、その過程で共感覚者の遺伝の研究にも熱中していたそうです(ちなみに差別を助長する優生学は、今では否定されています)。1905年にアメリカ心理学会初の女性会長となったメアリー・カルキンスも共感覚者に興味を持って取り組もうとした一人です。ハーバード大学で女性初の学位を取り、当時はまだ異色とされた女性研究者でした。

しかしながら限られた人だけが持つ特殊《とくしゅ》能力は、誰もが体験できるわけでもないため理解しにくく、研究も難しいため、それから50年間、共感覚の研究は忘れられていたのです。

共感覚を体験する

共感覚は驚くべき能力ですが、その存在に疑問を持つ研究者も少なからずいます。単なる学習によるものでないかと疑問を呈《てい》するのです。たとえば小学校低学年では、音符《おんぷ》や曜日に色づけしておぼえさせます。同様に、アルファベットやひらがなを学習する際に、Aはapple(りんご)といったように、色の付いたイラストをつけたりします。こうした学習したつながりを記憶しているのではないかと批判するのです。つまり共感覚は感覚ではなくて、記憶によるものだというのです。

ところが意外なきっかけで、共感覚の謎《なぞ》を解く扉《とびら》が開かれました。幻覚剤《げんかくざい》によって、誰でも一時的に共感覚を体験できる可能性が示されたのです(こうした薬物の使用が規制される、1960年代以前の話です)。

幻覚剤は、感覚を鋭《するど》くします。それとともに、共感覚的な体験が生まれることもわかったのです。たとえば音楽を聞くと同時に、様々な色の世界や映像を感じるという体験が生じるらしいのです。1940年代にアメリカで公開されたディズニー映画の「ファンタジア」は、こうした現象に似た映像を流していると評判になりました。

当然ながら現在ではこの手の研究をすることは不可能ですが、1960年代には幻覚剤は研究の手段となっていました。そして実際に幻覚剤を使用した実験により、共感覚は学習された記憶の連合を思い出すのではなく、感覚のつながりとして体験されたのです。しかも、幻覚剤により誰もが共感覚を体験しうることや、幻覚剤が脳の神経伝達物質に作用することから、共感覚の背後にある働きも明らかにされました。

そして現代になって、共感覚者がほんとうに文字に色を感じていることが脳の計測から示されました。言葉を耳にすると色を感じる共感覚者に、目かくしをして言葉を聞かせ、そのときの脳の活動を記録したのです。目かくしをしているわけですから、当然なにも見えないはずです。しかし見ていないのにもかかわらず、色を見たときの脳の活動がみられたのです。

一方で、幻覚剤で共感覚が体験できるということで、「共感覚とは異常な精神状態なのではないか？」という疑いが持たれることになりました。また、今では否定されていますが「成長するにしたがってそれぞれの感覚は分かれるはずなのに、感覚がつながったままの共感覚の脳は未熟ではないか」と、共感覚をさげすむような考えもありました。

見ていないはずの色が共感覚者には脳活動として見えている、というのはミステリアスですが、「新生児はみな共感覚者」だと主張する発達心理学者もいます。生まれたばかりの赤ちゃんは五感の境界が希薄《きはく》で、強い光や大きな音といった強い刺激《しげき》は、すべての感覚を同じように刺激すると主張するのは、カナダの発達心理学者ダフニ・マウラです。こうした傾向《けいこう》は大人になってもある程度は続きますが、成長する途中《とちゅう》で五感が分かれ、再びつながりなおすのです。

新生児が持つ共感覚が未分化で、大きい音がすべての感覚を刺激するような大ざっぱなものであるのと比べると、成人の共感覚者はより精緻《せいち》です。たとえば音に赤色や茶色を見る場合は、単なる赤を見ているのではなく「メタリックな赤色」「木肌《きはだ》のような茶色」などといったように、独特な質感を持った色を感じるそうなのです。共感覚者が感じている、そこに存在しないはずの感覚は、予想以上に繊細《せんさい》であざやかなのです。

一方で感覚間のつながりが学習によって作りあげられることを示すものとして、実験で開発された「感覚代行器」があります。目が見えない人や耳が聞こえない人が、失った感覚を別の感覚で代行できるという機械です。代表的なものが、視覚を聴覚で代行するものです。

目が見えない人の頭にカメラをつけ、カメラに写った視覚の情報を聴覚に変換《へんかん》します。目の前にあるものの大きさや位置を、音の大きさや高さで表現するのです。

聴覚で視覚の働きをするこの機械は、使っているうちに感覚の代行を感じるようになります。つまり大人になっても、五感はつながりなおす可能性がある証拠《しょうこ》で、それは先にお話しした、目の見える人でも目かくしによって触覚から視覚への感覚変換ができることにも通じます。

ただし誰が共感覚者となって、誰が共感覚者にならないかは、まだ謎のままです。共感覚は遺伝的な素養があるとも考えられていますが、共感覚の素質は遺伝しても、その内容までは遺伝しないという特徴《とくちょう》もあります。親がアルファベットに色を感じたのに、子は数字に色を感じるなどといったように。

共感覚は感覚の不思議を伝える貴重な現象です。感覚代行器や目かくしの実験のように、自身の身体を通じた学習による感覚のつなぎ替《か》えが大切な役割を担っているのでしょう。

絶対音感――感覚は学習しうるか？

もうひとつ、特殊な感覚について学んでみましょう。音を１回聞いただけで、その音の高さをドレミなどの音名で答えることができる人がいます。「絶対音感」とよばれ、周囲にあるすべての音、電車の音や踏切《ふみきり》の音、キーボードのタッチ音までがドレミで聞こえるというものです。楽曲を聞いても、歌詞よりもドレミが先に入ってくるといいます。

うらやましい才能にもみえる絶対音感ですが、じつは日本は絶対音感保持者が多いと海外から評価されています。世界中の発達心理学者の間で、日本の絶対音感の早期教育は有名です。日本での絶対音感の歴史をたどってみると、絶対音感は素質というよりは学習によるのではないかと思わされます。

戦前の日本では、絶対音感が学校教育として行われていました。第２次世界大戦で使用されたアメリカの爆撃機《ばくげきき》B29のエンジン音から、敵機の高さを当てる、人間レーダーを目指すような聴音訓練のひとつとして、軍隊で絶対音感教育が行われていたのです。１９４１年には、学校教育で音を聞かせて答えさせる絶対音感教育が開始されました。しかし戦時の戦争教育とのかかわりが強いため、戦後の学校教育では絶対音感教育は否定され、民間の音楽教室などで行われることになりました。

絶対音感は、幼児期でなければ身につかないといわれています。3歳《さい》～4歳からの集中的な訓練が必須《ひっす》で、音を聞かせて答えさせる訓練がくり返され、6歳半頃までに終了するのがよしとされるそうです。

なぜ幼児期かというと、絶対音感と対立する相対音感を獲得《かくとく》するのがこの時期で、相対音感の前に絶対音感を獲得する必要があるからです。相対音感とは音の高低を比較《ひかく》することで、一般に感じる音感です。

もうひとつの訓練のポイントは、その理由はわかっていませんが、単音を聞かせるのではなく、和音を聞かせて音名を言わせることにあるそうです。

「絶対音感」を持っているなんて、なんとなく格好良くてあこがれてしまいますが、便利なようにも見えるこの能力は、持っている者にすればわずらわしいこともあるらしいのです。すべての音がドレミに対応して聞こえてしまうと、うるさく感じるし、音楽を聴《き》きながら本を読んだりすることができないともいいます。

よくよく思い返すと、音楽を聴くときとそれ以外の音を聞くときでは、同じ聴覚でもモードを切り替えてはいないでしょうか？「聴く」と「聞く」とでは漢字も異なるように、オーケストラやバンドの音を聴くときは音そのものに集中し、それ以外の音は環境《かんきょう》の一部のような軽い扱《あつか》いとなります。となると、あらゆる音に平等に絶対音感を感じる絶対音感保持者は、どのように音楽と日常の切り替えをしているのだろうかと、不思議に思います。

その一方で、絶対音感は音楽に特化して学習していることを示す研究もあります。音楽家では通常の3倍の人数の絶対音感保持者がおり、自分の楽器に限って絶対音感を持つ音楽家もいるそうです。これらは絶対音感が、特別な学習を背景に培《つちか》われることを示す結果ではないでしょうか。

ちなみに目の見えない人には健常者の一〇〇〇倍の絶対音感保有率があるそうです。そして音楽家にとって絶対音感が便利かというと、オーケストラの基準音が国によって異なるため、絶対音感教育のような一対一の訓練には限界があるともいわれているそうです。

耳の良《よ》し悪《あ》しといえば、おそらく生まれつきに特殊な感覚を持つのが自閉症児《じへいしょうじ》で、彼らのなかには健常者が感じない周波数の違いに敏感《びんかん》なタイプもいます。5ヘルツ、4ヘルツといった特定の周波数の音に敏感であったり、特定の周波数の音が聞き取りにくかったり、音の高低の聞き取りに優れているなどの特徴があるといわれています。一方で親の呼びかけに反応しないことが自閉症の特徴といわれるように、極端《きょくたん》に良い聴覚能力と悪いことのばらつきが大きいのです。それが結果として、言葉の聞き取りにくさにつながるとも考えられています。

感覚は優れていればいるほどいいというわけではなく、感覚とのつきあいは、なかなか難しいものなのです。

感覚を代行する力

さて、視覚は光、聴覚は空気の振動《しんどう》、味覚や嗅覚《きゅうかく》は化学物質、触覚は物理的接触《せっしょく》、五感を伝える外界の情報と、受け取る器官の働きは科学的に解明されています。それにより、視覚や聴覚については、人工的な感覚器官を作ることに成功しています。聴覚の代わりをする人工内耳《ないじ》は、世界で最も普及《ふきゅう》している人工臓器のひとつでしょう。サイボーグのような人工的な感覚器官は、すでに普及しているのです。

人工内耳は1歳から手術が可能となり、生まれつき聴覚障害であっても、人の声を聴き、音楽を楽しむ可能性が生まれたのです。夢のような機械ですが、しかし、実際の耳のような繊細《せんさい》で優れた小型の感覚センサーを製作することは現実的に不可能です。そのため、人工内耳は人の耳と比べると、圧倒的《あっとうてき》に非力な機械なのです。

にもかかわらず、人工内耳は聴覚の代わりとなり、当初の予想以上に使いこなして音楽を聞いて楽しむこともできる人もいます。その背後には何があるのでしょうか？

人工内耳は、着けたら終わりではありません。着けただけでは、雑音が聞こえる厄介《やっかい》な機械にすぎないともいえるのです。革新的な技術の進歩があっても、それを使いこなす人の力が必要です。その力とは、学習です。

人工内耳でいうと、子どもたちは機械の装着後に、自分の身体になじませていく決められた訓練を受けます。訓練は綿密な計画で行われ、その学習プログラムを考えサポートするのが、心理学の役割です。訓練によって人工内耳を自分の耳にしていく結果、機械の性能以上の力を発揮できるのです。

ただし、その理由はまだわかっていないのですが、人工内耳をうまく使いこなして自分の身体の一部のようにできる人もいれば、雑音だらけで着けていることに耐《た》えられない人もいるのが実情です。

痛みは生きる証《あかし》

様々な感覚について話を進めてきましたが、触覚も身体感覚にとって重要です。視覚が身体感覚の指針となるとしても、触覚がないと、身体感覚そのものが希薄になってしまうからです。そして触覚が強すぎて不快なレベルになると、「痛み」と感じることになるわけです。

生きるか死ぬかの救急搬送《はんそう》中に、その人の意識レベルを判定するのは、痛みです。患者《かんじゃ》の意識状態を確認するのに使われるテスト(Japan Coma Scale, JCS)では、痛みに対する反応、つまり痛みを感じるかどうかで生死を判断します(表3-1)。痛みを感じることは、生きている証拠なのです。さらに痛みによって、ありありと生きている実感がわきます。痛みは自身の身体を超《こ》え、互《たが》いの痛みを理解するということで、他者とのつながりをもつものともなります。

しかしながら先にもお話ししたように、痛みというのは厄介な現象です。触覚は誰もがほぼ同じように感じますが、痛みは当人でないとわからない、主観的な経験とされるのです。痛み専門の病院がありますが、それくらい患者当人にとって満足のいく改善をすることが難

表 3-1　Japan Coma Scale（JCS）

患者の意識状態を測るテスト．痛みに対する反応で，生死を判断することがわかる

Ⅰ．刺激しないでも覚醒している状態（1 桁の点数で表現）	
0	意識清明
Ⅰ-1	意識清明とは言えない
Ⅰ-2	見当識障害がある（時間や場所や日付がわからない）
Ⅰ-3	自分の名前，生年月日が言えない
Ⅱ．刺激すると覚醒する状態（2 桁の点数で表現）	
Ⅱ-10	普通の呼びかけで容易に開眼する
Ⅱ-20	大きな声，または体をゆさぶることで開眼する
Ⅱ-30	痛み刺激を加えつつ呼びかけをくり返すと，かろうじて開眼する
Ⅲ．刺激をしても覚醒しない状態（3 桁の点数で表現）	
Ⅲ-100	痛み刺激に対し，払いのけるような動作をする
Ⅲ-200	痛み刺激で，少し手足を動かしたり顔をしかめたりする
Ⅲ-300	痛み刺激に，まったく反応しない

しいのです。そもそもが、医師に自分の痛みを正確に伝えることからも難しいわけなのですから。

　身体の痛みと心の痛みをより強く受け取るのが、思春期です。その理由は後に説明するように脳の発達にあります。そもそも思春期はバラ色なのでしょうか？　思春期が楽しく美しく描《えが》かれた映画や漫《まん》画《が》がある一方で、文学作品のなかでは深い悲しみや常軌《じょうき》を逸《いっ》した行動に走る話もあります。

　それぞれの結末が両極端ですが、思春期に特徴があるとしたら、この「両極端」なところでしょう。つまり思春期は

ジェットコースターのように感情が突《つ》っ走《ぱし》り、それが楽しいか苦しいかは、ちょっとした違いにすぎないものなのです。

思春期には、誰しもがなんらかの問題を抱《かか》えています。外からみると楽しそうでも、日常の人間関係が重いと感じている人は多いでしょう。苦しいことにも気づかず「なんとなく重いなあ」と思いながら、徐々《じょじょ》に苦しみを感じていくようになることもあるでしょう。

思いおこすに、自分自身も10代から20代までは悩《なや》みのるつぼだったと思います。筆者の場合は高校受験の失敗というわかりやすいきっかけがありましたが、問題の発端《ほったん》はなんでもよかったのでしょう。とにかく、イライラして周りとぶつかり、すべてを周囲のせいにする、そうせざるをえない自分がいたのでした。

幼い頃から「青春時代は一番楽しい時期」だとか「高校時代は二度とできない経験ができる」とかいわれていたにもかかわらず、今ふり返ってみると、人生で一番つらくて暗い時期だったように思い出されます。ここで言いたいのは、思春期は、皆《みな》にとって美しいわけでもバラ色なわけでもないということ。みじめで苦しいときかもしれないのです。何も持っていなくて苦しい時期だからこそ、若さという美しさだけを持っているのではないかとも思います。

こうした苦しみを作りだす最大の原因は、思春期では情動《じょうどう》（感情とそれにともなう身体の変化をともにとらえたもの。心拍《しんぱく》などの自律神経系の活動、表情や筋緊張《きんきんちょう》などの身体的変化などを含み、ヒトと動物でともに観察できる感情）をつかさどる脳が未発達であることにあります。だからこそ、自分で情動をコントロールすることができずに周りと対立して、どうしようもない自分をみじめに思うのです。

では、その原因となる、思春期の脳についてくわしくみていきましょう。

痛みを感じる思春期の脳

自分の感情をコントロールできなくて、人生の波のなかに放り出されているような感じ。思春期は、決して美しい時代ではないのです。若者の美しくはかない姿は、安定した心をまだ持てない、ぼろぼろで格闘中《かくとうちゅう》の成長過程の心の代わりなのかもしれません。若者の悲劇や喜劇もすべて若さゆえの美しさの身代わりで、成人した大人からは失った美しさをそこにみたとしても、当の本人は格闘の真っただ中なのでしょう。

このように思春期にふり回される原因は、情動の暴走にあります。大人よりも情動は暴走しやすく、それゆえに楽しみから苦しみへの転換《てんかん》も、大人と比べるとずっと急なのです。それには、脳の発達がかかわっています。

その原因は、PTSD（心的外傷後《しんてきがいしょうご》ストレス障害）で問題がおきる脳の部位にあります。PTSDとは、暴力や犯罪被害《ひがい》・震災《しんさい》・事故など強烈なショック体験による強いストレスを受けて、時間が経過してから様々な情動的な問題を抱える状態です。有名なところでは、ベトナム戦争やイラク戦争の帰還兵《きかんへい》が、戦場で受けた強烈な体験によって、社会復帰できずに苦しむことが知られています。感情に鈍感《どんかん》になったり、あるいは逆に、たがはずれたように過剰《かじょう》に感情的に反応してしまうのです。いずれも情動に問題があるがために、社会生活を送ることが難しくなります。

問題は、脳の中の扁桃体《へんとうたい》とよばれる部位にあります。PTSDでは扁桃体が過敏《かびん》に反応したり、その大きさまで変わることが発見されました。戦場などで過剰なストレスを受けると、副腎皮《ふくじんひ》質《しつ》ホルモン（副腎皮質で作られるホルモンの総称《そうしょう》で、様々な働きをする。ストレスによって分泌《ぶんぴつ》される）が多量に分泌され、それにより「扁桃体」や記憶に関する「海馬」が萎縮することになるのです（図0-4・図2-3参照）。

扁桃体は不快な情動の処理にかかわります。扁桃体は、発達上では極めて重要な働きをしています。たとえば人見知り、子どもが知らない大人をきちんと恐《おそ》れ、むやみについていかないことにもかかわっています。

4歳から17歳までの扁桃体の働きを調べたところ、見知らぬ大人の写真を見せられたときの扁桃体の活動が、年齢《ねんれい》とともに下がっていくことがわかりました。見知らぬ大人への恐怖《きょうふ》心《しん》は、連れ去られる可能性の高い幼い子で強く、成長するにしたがっておさまるのです。人見知りは「社交的ではない」と悪く思われがちですが、連れ去られ防止にもつながり、子どもたちの安全を守っているともいえるのです。

扁桃体は大人になるまで成長し、見た目が大人とほぼ同じになる13歳～20歳くらいまでの青年期でも、大人と違いがあります。平均14歳の青年期の学生と平均30代の成人を対象に不快な状況《じょうきょう》を学習させる実験で、その差が示されています。恐怖の表情でさけぶ女性の顔とふつうの表情をした女性の顔をそれぞれ学習させると、成人は女性の様子が危険か安全かをしっかりと区別できたのに対し、一方の青年期の人たちはこうした区別が成人ほどうまくできず、女性の写真を見ているときに情動をつかさどる扁桃体の過敏な活動がみられたのです。

青年期の扁桃体の活動は、不快な情動が強く働いていることを示しています。この結果は、成人は冷静に不快な状況を判断するのに対し、青年では情動が勝ってうまく状況を認識できなくなる可能性があることを示しているのです。もちろんこれはひとつの解釈《かいしゃく》ですが、青年期の問題と注意点を的確に示しているようにも思えます。

つまり、脳の働きによるこうした性質から、青年は大人と比べ、楽しみも苦しみも、頭で冷静に認識するよりも感情的に反応しやすいということ、そのため、ときには状況が耐え難く感じたり、ときには楽しみをより強く感じることにもつながるのかもしれないのです。青年期の問題行動は個人に原因があるのではなくて、発達上の原因があることを理解し、情動におぼれやすい性質があることを意識して注意することも大切ではないかと思います。

痛みを知ること、共感すること

自身の身体性を確固とするうえで、「痛み」を学習しておくのは大切だと思います。これまでも述べてきたように、身体をより強く感じるのが、痛みだからです。自身の痛みを知ることはこの世に足がかりを作るうえで大切ですが、それはまた、他人の痛みを知るうえでも大切だと思います。

他人の痛みをありありと感じることは、一般に「共感性」という言葉で知られています。しかし共感性を科学的にとらえてみると、一筋縄《ひとすじなわ》ではいかずに難しいのです。脳で共感性を担当するのは社会脳とよばれる部位ですが、そこでは共感性以外の様々な社会性が混在しているからです(図3-1)。

社会脳は、扁桃体ネットワーク、メンタライジングネットワーク、共感ネットワーク、ミラーシステムネットワークという、4つのネットワークに分かれるとする考えがあります。社会性は単純ではないのです。知能テストに言語的な知能や数学的な知能があるように、社会性も複数の分類から成り立つというわけです。

それは、社会性に問題のある様々な人たちの研究から明らかになりました。社会とぶつかる原因は多様で、それぞれの脳の問題がかかわっていると考えられています。

たとえば先にも登場した、背側《はいそく》経路から運動機能に問題があるとされたウィリアムズ症候《しょうこう》群《ぐん》は、おしゃべりで人なつっこく、社会脳のバランスが独特と考えられています。ウィリア

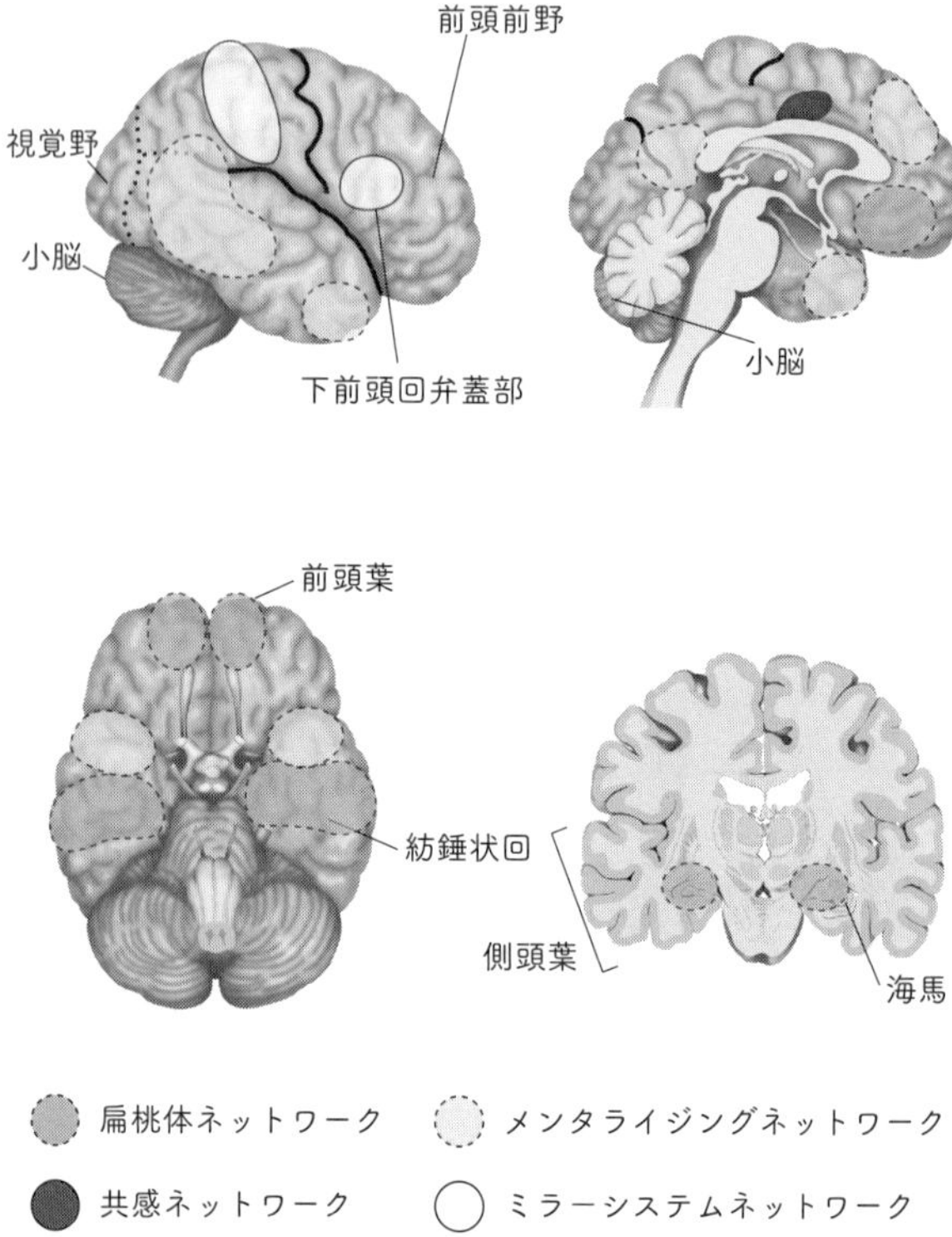

図 3-1　共感を支える脳のネットワーク

共感を支える脳のネットワークは，複数に分かれる．扁桃体・メンタライジング・共感・ミラーシステムのネットワーク（共感ネットワークは，より深部にある島皮質の活動をここに描いている）

ムズ症候群の人たちは、だれかれとなく話しかけ、初対面の人でも相手が多少不機嫌《ふきげん》でもかまわずに話を続け、見た目に危なげな人にも平気で近づきトラブルになることもあるそうです。

こうしたことの原因が、社会脳のバランスなのです。ウィリアムズ症候群は共感性が人並み以上に強い一方で、恐怖を処理する脳の部位である扁桃体の活動が弱く、怖《こわ》いという感情がおきにくいと考えられています。

共感性を調べる実験では、初対面の大人との面接中に、当の面接官が突然《とつぜん》痛みをうったえたときの反応を調べています。同年齢の子どもたちが対応に苦慮《くりょ》して途方《とほう》に暮れているのに対して、ウィリアムズ症候群の児童は、大人のかたわらにかけ寄っていきます。他人の痛みを自分の痛みのように感じ取ることができるのです。

ただし、共感性は高くてもその行動は独特で、自他の垣根がない感じです。一方的な共感で、相手側の視点に立って状況を考えないという特徴です。相手に迷惑《めいわく》かということも考えずに話しかけ、相手が自分にとって危険かどうかの判断ができないこともそのためです。

ウィリアムズ症候群の扁桃体の活性を調べた研究があります。それによると、人に対する扁桃体の活性は低く、むしろ物体に対する情動の動きが強くて扁桃体の活性が高まるという結果が出ました。また、ウィリアムズ症候群の人の扁桃体は平均よりも大きく、その大きさと、人に対する親密性に相関があるという報告もあります。

つまりウィリアムズ症候群は、共感性の働きが特異的に高い一方で、恐怖の情動に関係する扁桃体の働きが一般とは異なることがわかったのです。

他人の痛みは身体で感じるか、頭で感じるか

ウィリアムズ症候群のもうひとつの特性として、相手の状況を推測する能力が低いと考えられています。

相手の痛みを感じる「共感」は、身体で感じることと、頭で理解することとに分かれます。理性的に相手の心を読む能力は、メンタライジング、あるいはマインドリーディングとよばれます。

英語でいうところの「心（メンタル、あるいはマインド）」と日本人が考える「心」の定義が異なるためややこしいのですが、西洋でいう「心（メンタル、あるいはマインド）」には感

情が入りません。日本で「相手の「心」をよむ」というと、感情的な動きを含めて相手の気持ちを察することをさしますが、西洋では、情の部分にはむしろあまりとらわれず、相手の心がどのように動くかを推定するという意味合いがあります。

「共感」の脳の働きをおさえるためには、この西洋の考え方に立つ必要があります。まずは、西洋風に「心」をとらえなおしてみましょう。相手の心を気持ちや感情に立って考えるのではなく、コマの動きのようにとらえるのです。

もし他者の心的状況を推測できるならば、ウィリアムズ症候群のように、相手がうんざりするまで話しかけたりはしないでしょう。つまり、ウィリアムズ症候群が得意とする感情的な共感と、他者の心の働きを推定するメンタライジングは、似たようにみえて決定的に異なるのです。実際、それぞれを担当する脳の部位も異なります。

社会性の働きが弱いとされる発達障害の自閉症児も、メンタライジングが苦手だという説があります。たとえば、チャリティで寄付をするような利他的な行動を取るときに、他人に見られるからと金額を多めに変えたり、逆に大げさな寄付を避《さ》けたりなど、行動の修正ができないことなどがあります。

メンタライジングが頭の中で操作的に他者の心を考えるのに対し、身体が介在《かいざい》するのは「ミラーシステム」とよばれる働きです。ミラーとは鏡、つまり、他者とのつながりの原点である、相手の行為《こうい》を見てその行為をそのまま「まねをすること」をさします。目の前にいる他人と同じ動作をしたり、同じ表情をつくったり、身体と身体がシンクロする、こうした行動を支える脳の働きがあると考えられているのです。自閉症児では、感情にあわせて表情をつくるときや他人の表情を見るときに、ミラーシステムにある下前頭回弁蓋部《かぜんとうかいべんがいぶ》の活動が弱いという実験結果もあります。

ミラーシステムネットワークの母体は「身体」であるのが特徴です。身体を持って生きている限り、世界や人とのつながりはこの「身体」から生じるともいえるのです。

ただ、身体を基準としたミラーシステムは、目の前の人の痛みや苦しみに反応するとしても、相手の世界は自分の延長でしかないという特徴があります。これだけで相手を思いやれることは難しく、相手の立場を考えない思いやりになってしまうこともあるでしょう。

それを克服《こくふく》するのが、相手との関係を知識として考える、メンタライジングネットワークです。共感には、こうした役割の分担が必須なのです。

ちなみに、まねをするミラーシステムは反射に近いのに対し、一方のメンタライジングの発達は自己意識がめばえることが前提であるために遅《おそ》く、４歳くらいに獲得するという研究結果もあります。

知識だけの思いやりも、身体だけの思いやりも、双方《そうほう》の力をあわせることなく単独で働くと、それぞれに欠点を抱えることになります。複雑な人間関係がぎくしゃくした際にどうふるまうかを考えるとき、人間関係を理性的に推論のように考えることも必要ですし、とつぜんお腹に痛みを抱えた友達を助けるには反射的な行動で対応することも必要です。

知的に状況を理解することも必要な一方で、人はあらかじめルールが設定されたゲームの世界に生きるわけではないのですから、ときには感情で反応することも必要になるわけです。どちらが欠けてもバランスが悪く、それぞれのバランスが大切なのです。

失敗による痛みを経験する、アンバランスな思春期

最後にもう一度、思春期と身体について考えてみましょう。

そもそも「自分」というのは、この身体があってこそ成立するものでした。生物の知識か

らいうと「発生」によって私たちは形づくられるわけで、それぞれの個体は、卵子と精子《せいし》が受精し細胞分裂《さいぼうぶんれつ》して、それぞれの身体が作りあげられていきます。そして母親の胎内《たいない》から身体が出ることにより、私たちはこの世に生まれてきました。私たちは生まれたときからずっと、身体と一緒《いっしょ》です。

気に入ろうが気に入らなかろうが、この世界に生まれ落ちたときにそれぞれの身体を手に入れ、私たちはこの世に生きています。身体とは、いわば私たちがこの世の中を生きるうえでの切符《きっぷ》のようなもの。あるいは身体とは、この世界に自分が存在する主軸《しゅじく》です。

思春期は、身体の成長でいえばシフトチェンジの時期にあたります。第2次性徴期《せいちょうき》を経て、次世代の子へとつながるように身体は成長していくからです。生物学的にいえば子孫を残すことによって人類を再生産するための身体へと変貌《へんぼう》していくわけですが、社会的にいえば、自身の身体を受け入れる時期に当たるのだと思います。

心と身体が成長する過程で、「自分」を維持《いじ》し続けるのは、なかなか難しいことでしょう。様々な失敗やトラブルを経て、その結果、様々な不調をきたすこともあり、そんな経験を経て、はじめて自身を受け入れられるようになるのだと思います。

生物世界から考えると、思春期は「巣立ちの時期」でもあります。古巣から巣立ち自分の家庭を築く、つまり自立の時期です。しかし人間は、この巣立ちの時期が一筋縄《ひとすじなわ》でいきません。それが、思春期を取り巻く問題の発端といえます。

人間は、自立が遅いのです。旅立つ先の社会が複雑になっているため、自立するために学ぶべきことがたくさんあるからです。だからこそ、思春期という、子どもでもない大人でもない危なっかしい時期が、人間は長く続くようになったのです。社会に出る前に学ぶべきことは増え、昔に比べて時間をかけて学ぶ余裕《よゆう》もできたため、現代社会では思春期はさらに長引くようになったのでしょう。

歴史をふり返れば、中世ヨーロッパでは「子ども」という状況すらない時代が続きます。子どもは、労働力のひとつとして扱《あつか》われました。貧しい家庭が早いうちから子どもを労働力として扱って手放す一方で、裕福《ゆうふく》な家庭では、子どもが失敗して資産を失わないよう大人になるまで親が支配を続けるという育て方も、歴史的にみられます。

子どもから大人になる思春期のなかで、保護者から子へと主導権がうまく引《ひ》き継《つ》がれればよいのですが、それはいつの時代も悩ましい問題です。

なぜ、私が自立をうながすかというと、私自身の反省も少なからずあり、自分の身体は自身で管理してほしいと思うからです。私自身の思春期を思い返せば、高校受験の失敗を親のせいにして、それは結果、自分の人生から逃《に》げていたような思いもあるからです。そしてこれこそが、思春期がこじれる原因のひとつだったと思うからです。

自立は親だけでなく、子ども側からも、考えてほしい課題です。なぜなら親からすれば子どもはまさしく自分の身を分けたもの、ときには自分の分身にも思えるものです。そして親は、みなさんが思うほど成熟しているわけではありません。親は自分の子を育てたときから親となり、まだ成長途上《とじょう》、親としての年齢はみなさんと同い年なのです。親と子は、たがいにうまく成長せねばならないのです。

みなさんには、痛みを持った小さな失敗経験を、自身の身体で学習してほしいと思います。失敗は誰もが経験するものですが、失敗経験が少ないと、失敗による挫折感《ざせつかん》をより大きく強く感じてしまいます。失敗への免疫《めんえき》をつけるためにも、多くの失敗を経験する必要があると思うのです。成長のために失敗の経験を積む時期、それが思春期といえるでしょう。

私たちそれぞれにはどこか足りない部分があって、必ず失敗をして、そこに痛みを感じます。痛みを感じ、痛みから立ち直ることは苦しいですが、それこそが成長といえるのではないでしょうか。

「あなたは、自分の顔と身体を受け入れられますか？」

——そのようにたずねられて、迷う方が正しいのです。誰もが理想の顔と身体を手に入れて、すくすくと成長するなんてことはないのです。私たちは誕生とともにこの身体を手に入れて、様々な経験を経るなかで、この顔と身体を自分たちなりのものだと折り合いをつけていく、それが思春期だと思うのです。

第4章

拡張する身体と，身体感覚のコントロール

ミュシャ《連作　4つの芸術》より 1898年

さて、これまで、思春期の身体の不安定さとその背景にある心と脳の発達について明らかにしてきましたが、現代の環境《かんきょう》がその不安定さを加速させているようにみえます。

身体は古くはインド哲学《てつがく》の主要なテーマで、西欧ではフランスの哲学者ルネ・デカルト（1596〜1650）や同じくモーリス・メルロ＝ポンティ（1908〜1961）らによって、哲学的考察が行われてきました。そんな身体感覚ですが、科学技術の進歩によって、どんどん希薄《きはく》になってはいないでしょうか？　私たちを支える土台であるところの身体感覚が薄《うす》れている。そんな身体を取り巻く現代の状況《じょうきょう》について、本章で改めて考えてみたいと思います。

そしてもうひとつ、思春期の不安定さの原因である、感情制御《せいぎょ》の弱さを克服《こくふく》する方法についても考えてみましょう。不安定な思春期、感覚と感情を整理し、自分を見つめなおす技術です。

通信技術の進歩と身体距離《きょり》

電車の中や交差点で信号待ちをしている人々が片手にスマートフォンを持っていじっている様子、みなさんにとってはごくふつうの日常風景でしょうが、それはいつ頃《ごろ》からの日常でしょうか？　駅での待ち合わせはとりあえず着いたらＬＩＮＥで連絡《れんらく》というのも、年上の立場からすると「昔とずいぶん変わったものだ」とため息まじりに言いたくなることです。

しかもその変化の速度は、著しく加速しています。ちょっと調べてみるとわかる通り、携《けい》帯《たい》電話が普及《ふきゅう》して小学生も持ち歩くようになったのが２０００年代半ばで、その10年後の２０１３年にはスマートフォンの普及へと一気に変わっています。今ではほとんど使われなくなってしまった家の固定電話が高度成長期の１９６０年代に普及し、携帯電話が普及するまでに40年かかったことと比べると、携帯電話からスマートフォンへの変化のスピードは一気に加速しているのです。

つまり現代の日常の風景は、みなさんの一世代前であるお父さんやお母さんが、みなさんと同じ年頃であったときには想像もつかなかった世界です。この本がみなさんに読まれるころには、また状況は変化しているかもしれないと思うほど、変化の速度は加速しています。情報環境は変貌《へんぼう》著しく、それは身体を通じた人とのつながりや、自身の身体感覚をも変える力があることでしょう。特に人とのコミュニケーションは、確実に変わっているようにみえます。LINEを使えばすぐに人とつながることができるので、人とのやりとりの速度や頻度《ひんど》は圧倒的《あっとうてき》に増しています。SNSを使えば、遠くにいる友人の世界と直結しているような気持ちになることもできます。

その一方で、家の人に取りついでもらわないと話せなかった、固定電話が消えかけています。その影響《えいきょう》は顕著《けんちょ》で、会社に入って電話の取りつぎが怖《こわ》くてできない新入社員が多くなったと聞きます。携帯電話では話したい相手とダイレクトにつながるため、電話を取りついでもらうという経験がないからです。

しかし携帯電話ではまだ会話でやりとりすることが主流でしたが、スマートフォンが普及してLINEやSNSの世界になると、相手と直接話すことからすら離《はな》れてしまいます。特にLINEの影響は絶大で、短い文章でやりとりすることに慣れてしまい、長文を書くのが苦手になってしまったという大学生もいるほどです。

そこで気になるのは、ＬＩＮＥでつながる人間関係です。長い文章を書けなくなった背景には、説明を必要としない人間関係があるように思えてなりません。人間関係が閉じた、親しい者だけのつながりになってしまわないか、心配です。それは若者特有のことかもしれませんが、一方で日本人特有なのかもしれないのです。

いわゆる東アジア文化《ぶんか》圏《けん》に位置する「日本人論」の特徴《とくちょう》として語られるのは、和を大切にすること、他者との人間関係の中に自己をとらえる「相互《そうご》協調的自己観」にあります。一方の西欧《せいおう》社会は、他者から独立した存在として自己をとらえる「相互独立的自己観」を持ち、個を大切にします。こうした日本人の特徴は１９４６年にアメリカの文化人類学者ルース・ベネディクトの『菊《きく》と刀』で語られ、最近になってアメリカの社会心理学者リチャード・ニスベットが実験的なデータで証明しています。

自己のとらえ方は文化によって異なり、日本人が同質の集団を作ろうとするのは、その自己観につながるところがあるのかもしれません。こうした傾向《けいこう》は、いちいち説明しなくていいという楽さはあるのですが、集団としての閉鎖《へいさ》性《せい》は行き過ぎると窮屈《きゅうくつ》で多様性の許容度が下がります。他者に不《ふ》寛容《かんよう》になってほんの少しの違《ちが》いに敏感《びんかん》になり排他《はいた》的《てき》になることは、へたをするといじめにもつながりかねません。注意が必要です。

距離と親しさのねじれ現象

ところで、最近ではビデオ通話を楽しむことも、日常となっています。通信料を気にせず海外とも気軽に映像でつながることは、世界観を変えています。留学生は遠く離れた家族と毎日つながっているかのようで、海外との仕事のやりとりも格段に楽になり、むしろ互《たが》いの時差を配慮《はいりょ》した会議時間の設定が悩《なや》ましい課題となっています。海外の学生と気軽に話しながら英会話を学べるという便利な道具でもありますが、遠く離れた友人と、いつでもどこでも気軽につながれる感覚は、かつてはありませんでした。

海外との距離の短縮は、欧米から遠く離れた東アジアの片隅《かたすみ》の日本で世界を相手に仕事をしてきた身からすると、ひしひしと実感します。研究者の日常は、欧米で発刊される学術雑誌に論文を投稿《とうこう》し、編集者とやりとりを通してようやく論文を発表することにあります。

投稿をしてから編集者から手紙が届き、手紙に書かれた指示通りに書きなおしをして再び編集者に手紙を出して……そんなやりとりが2~3回は続くのです。海外とのやりとりが郵便だった時代は、手紙を出してから返事が来るまで、待つこと数か月。それがメールになり、今や返事は即日《そくじつ》です。休憩《きゅうけい》する暇《ひま》がなくなったという人もいますが、返事を待つだけに何か月もかかっていたことがその日のうちに済んでしまうことは、ほんとうに画期的なことでした。

その速度の変化はまるで、海外旅行が船旅だった時代から、ジャンボジェット機の旅に変わったような感じです。しかも旅という限られた非日常世界が変わるのではなくて、ふだんの生活が変わるのですから、その変化はさらに影響《えいきょう》が大きいです。人とのやりとりの根本を変えているように感じます。

一番の影響は、他人との距離感が変わったことにあるのではないでしょうか。それによって、人間関係の作り方も変わっているようにみえます。距離とは関係なく、遠くにいる人とも、親しければその関係はどんどんつながります。海外から短期訪問した大学院生と帰国後も交流が続くのも、遠くに引《ひ》っ越《こ》した知り合いと付き合いが続くのも、インターネット環境のおかげです。

その一方で、近いけれど「違う」と感じる人とは、つながらなくなります。場所が近いだけの近所よりも、趣味《しゅみ》の合う遠くの知り合いの方が身近に感じるという、不思議なねじれ現象もおきています。

趣味の合う人だけをえり好みして親しくなるのは楽しい反面、それが行き過ぎれば、どうなるでしょうか？　近い所にいる異質な他者からは、世代差を含《ふく》めた様々な違いを知ることができます。異質な他者とつながることは、互いにわかりあえない部分を説明しあうという、社会関係の築き方を学習できるのです。

それは結果として、多様な他者を許容することを知る機会になるのだと思います。同じ目線の者だけが集まって異なる他者を排除《はいじょ》しないように、多様な他者を許容する態度が欠落することにならないようにと願います。

SNSの普及から、見知らぬ他人でも趣味が合いさえすれば急速に距離が縮まることもあるので、人によっては友達の数が格段に増えていると感じるかもしれません。SNSの知り合いの多さと社交性の高さから、社交性を支える脳活動を調べようとする研究も出ています。

まだ明確な結果は出ていないものの、社会性の広さはストレスにもなりうることを示す研究もあります。広がりのある付き合いは良い面もある反面、現代の交流の広さは、人類がこれまで経験したこともない規模でもあるため、注意を要する点も出てきます。また、こうした交流を悪用しようとする大人もいるわけで、経験が少なく無防備な若者は、だまされてプライバシーを開示したり、連れ出されたりすることがないよう、注意を払《はら》うことも必要です。

ＳＮＳは身体拡張か？――バーチャルリアリティ・チャットへ

広い世界に友人関係を展開することは、学校の窮屈な友人関係にきゅうきゅうとするよりも、自由です。クラスメートを相手にするときとＳＮＳの友人とでは、人格を変えてふるまうという話も聞きます。そうなると、ＳＮＳの中の自分と現実の自分、どちらがほんとうの自分になるのでしょう？

それは、「自分とはなにか」という哲学《てつがく》や心理学が長年追究してきた大きな問いにもつながる話です。少なくとも今の大勢としては、「実のある「身体」」をともなう方が自分らしく感じるでしょう。しかし、現時点のこの回答をさらに混乱させる技術として、バーチャルリアリティがあります。

ＳＮＳの次に来るのは、バーチャルリアリティ世界ではないかといわれています。インターネットによって、遠くに住む人々同士がやりとりできるようになりました。SNSでは文章で、ビデオ通話では映像でやりとりしていたことが、バーチャルリアリティでは架空《かくう》世界に入りこんで交流できるのです。自身が架空世界に入りこみ、自身の身体を介《かい》して交流するということ。自身の身体感覚を拡張させる画期的な技術です。

これまでにお話ししたように、すでに身体は様々に拡張されています。人工内耳《ないじ》などの技術が進み、アンドロイド技術が身近なものとなっています。そのなかで、結果的にアンドロイド技術をうまく使いこなすことができるかは、私たち自身の学習能力にかかっていることもわかりました。いかに代替物《だいたいぶつ》を「身体」として取り入れることができるかの「身体の問題」には、学習がからんでいるのです。

しかし学習というのは、楽しくなければうまくいきません。みなさんも思い返してみると、実感できると思います。テストのために渋々《しぶしぶ》おぼえる漢字や英単語がなかなか頭に入らないのに比べると、興味のあるゲームのルールやキャラクターの名前などは、多少難しくても無理なくすいすいおぼえられるのではないでしょうか。

うまく学習にのるためにはごほうびが必須《ひっす》ですが、好きで楽しいことそれ自体がなによりも高い報酬《ほうしゅう》になります。そのため、好きなことは必然的に学習が進むのです。つまりアンドロイド技術もエンターテインメントで活用すれば、とうぜん学習の進みは速くなるのです。

エンターテインメントとして一般的《いっぱんてき》なものに、バーチャルリアリティ・チャットがあります。バーチャルリアリティ世界でアバターを介して人とつながるというもので、この数年で急速に普及していて、スティーヴン・スピルバーグ監督《かんとく》による「レディ・プレイヤー１」という映画の題材にもなっています。

映画ではかっこよいアバターの姿が出ていますが、実際のバーチャルリアリティの世界はもう少しアニメ系の姿です。ぬいぐるみやボーカロイドロボット（有名な初音ミクのように、合成音声にあわせて作られたバーチャルアイドル）のような姿で動きまわって、まったく知らない世界の人たちと出会い、相手は英語でこちらは日本語と、言葉もまったく通じていないのに言葉を投げかけあったりしています（図４-１）。

自身もバーチャルチャットを駆使《くし》して取材を続ける新聞記者から聞いた話ですが、ふだんは近づきがたい男性が、ぬいぐるみやかわいい女の子の姿に変身すると、気軽に声をかけあうことができるようになるといいます。その没入感《ぼつにゅうかん》も、ＳＮＳを超《こ》えるとのこと。家に帰る

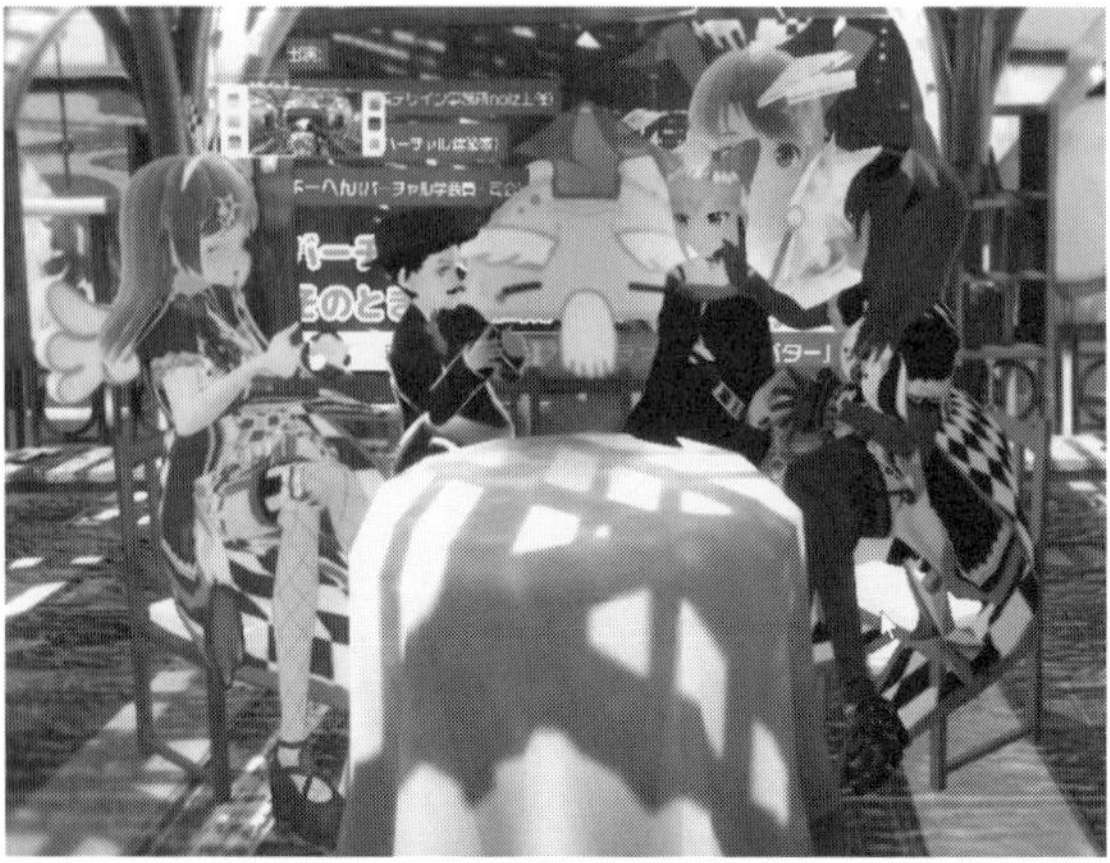

図 4-1　様々なアバターで楽しむチャットの様子

（提供：左端　名前：よーへん（Holographic），モデル制作：Holographic／左から 2 番目　名前・モデル制作：大澤博隆，アイテム：Blue Rock／中央　名前：宮本道人（批評系 VTuber げんかいくん「はかせ」），アバターデザイン：西島大介，名前：山口優，モデル制作：じゅりこ，衣装：deltastar，ちゃんあつ／右端　名前：じゅりこ（Holographic），モデル制作：Holographic）

とバーチャルリアリティの世界に没入し、そのまま仕事をしたり、あるいはそのまま眠《ねむ》りに落ちて、バーチャルリアリティ世界の中で朝起きて「おはよう」と挨拶《あいさつ》しあうことに心地よさを感じるそうなのです。バーチャルリアリティの中で結婚《けっこん》をすることもあり、そうなると、バーチャルリアリティの世界と今生きている世界、どちらが真実の世界かわからなくなるのではないでしょうか。

　専用ゴーグルやそれなりのパソコンといった準備が必要なため、今は趣味の世界のつながりのような雰囲気ですが、今後より多くの人の交流の場となったときには、なりすまし等への注意が必要となるかもしれません。

バーチャルリアリティ・チャットは、日本発信の技術のひとつです。こうした技術の背景にあるのが、自分と違う身体になることに抵抗《ていこう》がないこと。じつはこれこそが日本らしいところで、抵抗感の大きい国や文化もあるのです。

先のボーカロイドの初音ミクが人気になるように、さかのぼればロボットに「鉄腕《てつわん》アトム」のような人格のある人型を求めるのも、日本らしいといえるのです。ロボットを開発する際に二足歩行の人型ロボットにこだわるのは日本くらいだそうで、欧米では使用に堪《た》えれば車輪でもかまわないそうです。

日本のロボットの歴史をさかのぼると江戸《えど》時代のからくり人形を発端《ほったん》に、1928年の京都博覧

図 4-2　学天則

1928 年の京都博覧会で展示された．世界の多様な顔を平均するという発想が先進的

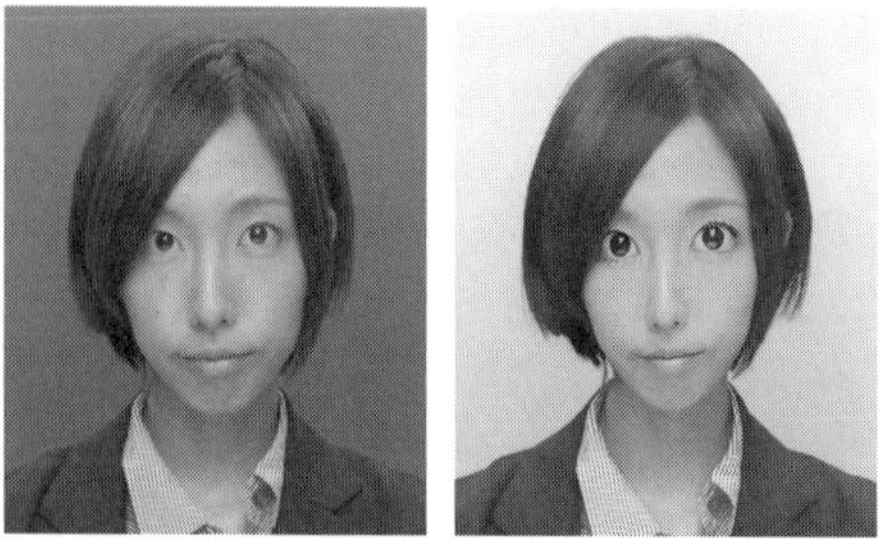

図4-3 プリントシール機による顔加工

加工前（左）とプリントシール機による加工後（右）の写真（画像提供：フリュー株式会社）

会では学天則《がくてんそく》という人型ロボットが公開されました（図4-2）。座ったままで腕《うで》を動かしたり表情を変えたりと、からくり人形に近い技術ではありますが、様々な人種をかけあわせた顔にしているという力の入れようです。これらのことから考えられるのは、日本では、人型ロボットのような、人に似た身体を受け入れやすい土壌《どじょう》があるということです。

また、バーチャルリアリティ・チャットの身体化には、「なりきり」という感覚も重要です。これも日本文化として世界的に定評がある、コスプレでアニメーションのキャラクターになりきることに端を発します。もう少し広く行きわたった「なりきり」には、「プリクラ」を加えることができるでしょう。

今ではスマートフォンのアプリにも顔を変える機能が付いていて、世界的にはやっていますが、そのさきがけがシールで印刷された日本のプリクラ（プリントシール）でした。200

0年前後の日本の女子高生たちの手帳は、友達と撮《と》ったプリクラのシールでびっしりとうめつくされていました。目を大きくしたり、あごを小さくしたり、小顔に変えたり、自分の理想の顔に近づけた顔写真にするのです(図4-3)。

当初は理想にした顔写真を撮ることそれ自体が娯楽《ごらく》で、グループで撮りあって楽しんでいたわけです。やがて自分の顔写真のシールを交換《こうかん》しあったり、自分の名刺《めいし》につけて渡《わた》したりするようになっていきました。つまり最初は自分の顔を変えて楽しむ娯楽だったものが、だんだんと「自分像」へと変化していったことがわかります。

10年ほど前にひどく驚《おどろ》いたのは、プリクラの顔写真が事件の被害者《ひがいしゃ》や加害者の顔写真として新聞の紙面に大きく掲載《けいさい》されたことでした。遊びで交換していたような、アニメの少女のような大きな目の顔写真に、家族や周囲にとまどいがなかったのかが気になりました。

ちなみにこの顔加工ができるプリクラの機械は、海外ではそれほど受け入れられなかったようです。自分の顔を加工することにどれくらい喜びを感じ、またどこまで顔を加工しても許容されるのか？　その許容の広さが日本らしいのかもしれないと思います。

デジタルに強い最近の若い人の様子を見ると、プリクラで別の風貌《ふうぼう》になりきるだけでなく、

SNSやバーチャルリアリティ・チャットで複数のアカウントやアバターを駆使して複数の人格を演じたりと、複数の社会でマルチな活動をしていることに感嘆《かんたん》します。まずその社会構造が多層的で、これまでのどの時代の人たちと比べても破格に複雑です。そして、いったいどれが本当の自分なのだろうかと悩んだりはしないのか、不思議に思えます。

こうした生活を続けているうちに、これまでは変えられないとされてきた、自分の人格とか自分の風貌とか、そんなものはいつでも好きに変えられるし、そんなことにこだわるのがばかばかしいと思うようになるのでしょうか？

そうだ、身体なのだ

SNSの出現で、毎日学校で会うクラスメートよりも、遠くて趣味の合う知り合いの方が近しくなるという「ねじれ」現象がおきていることは、すでに述べました。バーチャルリアリティ技術がもっと発展したら、家から外に出て電車に乗って、わざわざ人と会いに行く意味はどこにあるのだろうと思うようになるのではと想像してしまいます。

その一方で、これまで遠い存在だったはずのアイドルは、どんどん近くなっているようです。テレビの画面の中にいる存在だったのが、出かけていけば握手《あくしゅ》してくれるのです。それが現代のアイドルの魅力《みりょく》のひとつになっていることは、とても不思議です。会えることの魅力、そこには生身の身体の存在があるからでしょう。バーチャルリアリティとは違う、生身の身体の魅力がやはり存在するということなのかもしれません。

この世界につながる身体ですが、その一方で身体は「あらくれ者」でもあります。生身である分、予想通りにコントロールし難く、扱《あつか》いにくいところもあります。特にあらくれ者なのが、感情です。感情をうまくコントロールできないことも、身体感覚とかかわりがあります。言ってみれば、身体感覚は、あらくれ者の感情と頭でっかちの認知のはざまにいるともいえます。この関係を調整する手法があります。その前に感情や認知といった、意識の構造を理解してみましょう。心理学の話に入ります。

たとえば、飛んできたボールが頭に当たって痛みを感じたとき、そこには「感覚」「知覚」「認知」という3つの水準がかかわっています。痛みの感覚とともになにかが飛んできたという「視覚」という感覚が受け取られ、その次に白いものという「知覚」が届き、それが記《き》憶《おく》や知識にあるボールと同じということでボールがわかるという「認知」レベルで「ボールが飛んできて頭にぶつかったこと」は理解されます。そしてそれとともに「こんなところにボールが飛んでくるなんて！」とか、「誰《だれ》が投げたんだ！」などと、驚きや怒りの感情がわきあがってきます。

ふだんの生活では、これらの一連の働きは自動的に生じます。そして意識の最終段階しか気づくことができません。私たちは目の前に展開される世界を、そっくりそのまま取り入れていると思いがちですが、実際はそうではないのです。たとえば目に入った感覚は脳の中で解釈《かいしゃく》されて「見えた」と判断できるまでに0・1秒ほどの時間がかかるといわれています。そのうえ、同じ見る感覚のなかでも、「色」は早く伝わり「動き」は遅《おく》れて伝わるというように、伝わるまでの時間差もあります。コンピュータグラフィックスを使って色と動きを高速で見せる実験を行うと、色だけが先に見えることを体験できます。このような感覚の特性もあるのです。

私たちの意識は、「感覚」「知覚」「認知」の順番で処理されますが、ふだんの生活では、これに「感情」も混じってすべて一緒《いっしょ》に経験されます。この中の基礎《きそ》となる感覚に着目して、感覚を明晰化《めいせきか》する技法があります。感覚を明晰化すれば、それぞれが整理され、特にあらくれ者の感情に乱されることなく、心の平安を保つことができます。感情の爆発《ばくはつ》を防ぐことができて、自分の心をコントロールできるのです。

こうした技法は、今では「マインドフルネス」という名で、一般的に知られています。そのおおもとは、瞑想《めいそう》の一種です。私が20年ほど前に体験した頃はまだマイナーな存在でしたが、その後アメリカの西海岸のコンピュータ業界の社長が熱中し、社内に瞑想スペースが置かれるようになって、ストレス軽減や気持ちの集中に役立つと有名になりました。はるか昔に考えられた瞑想に、「意識が感覚から構成される」という現代の脳科学によって解明された知見が暗示されているのは、驚きでした。

身体感覚をコントロールする

私は、20年ほど前に10日間の瞑想合宿を受けました。世界に200以上のセンターを持ち、アメリカでは刑務所《けいむしょ》の受刑者に、インドでは公務員の教育としても使われる瞑想です。その日本支部である日本ヴィパッサナー協会による合宿でした。2500年以上も昔のインドに起源を持つ最も古い瞑想法のひとつで、宗教的なものではなく、「生きる技」として指導され続けてきたそうです。

携帯電話やパソコンや筆記用具などすべての私物を預け、10日間過ごします。食事は朝晩の2回だけ、朝の4時から夜の10時まで、座って瞑想するだけです。本を読むこともメモすることも、会話も厳禁。大広間で、座布団《ざぶとん》1枚のせまいスペースでひたすら座って瞑想をすることは、感覚遮断《しゃだん》実験に近い状況ともいえるでしょうか。

この瞑想では最初の数日間、ひたすら「呼吸」を感じる訓練をします。暗い静かな部屋で目をつぶって座ることにより、できるだけ感覚を遮断します。そうして、鼻から入る呼吸だけをひたすら観察するのです。人が生きているなかで受け取る、最低限の感覚に集中するというわけです。呼吸をするのは生きるうえではあまりにも当たり前のことですから、深呼吸は別として、呼吸の感覚など考えたことすらないでしょう。私も「そんな感覚、わかるだろうか?!」と思いました。

しかしそれを難しいと考えるのは、頭を使って物事を考える癖《くせ》がついている証拠《しょうこ》かもしれません。呼吸が選ばれたのは逆転の発想で、手あかのついていない感覚をあえて利用しているのかもしれません。「当然知ってるさ!」といった先入観がないので、素直にがんばって、その感覚を探し出そうとするからでしょう。

ゆったりと身体を落ち着かせ、目を閉じて静かに観察してみれば、鼻から気管を通る空気の流れを感じることができます。外の冷たい空気が鼻腔《びくう》を通っていくのを感じます。とはいえしかし、これだけの単純な感覚に集中し続けることは難しいのです。にぎやかな情報に満ちあふれた日常生活に比べると、圧倒的《あっとうてき》に単調だからです。

うっかりすると、気持ちがあちこちと動き回ってしまうことに気づきました。とてもくだらないことが次々思《おも》い浮《う》かぶのです。たとえば瞑想が終わったらどうしようとか、留守にしてきた部屋はどうなっているかとか、外ではどんなことがおきているかとか、考えてもしかたないことばかりが浮かびあがるのです。いろいろな研究のアイデアも浮かびます。しかもメモを取ることができないので、瞑想が終わってからすることリストを忘れないようにと、延々と記憶すべきことをくり返したりして、落ち着きのない心のありようが見《み》え隠《かく》れしました。

こうした状態は瞑想状態とは逆の状態にある、心がさまよう「マインドワンダリング」の状態です。最近の研究によると日常生活の３～５割近くがこのような意識の状態にあることが知られ、その際の脳活動が計測されたりして、研究も進んでいます。

脳内の様々な情報にあてもなくアクセスするので、これまでは想像力を養うと考えられていたのですが、最近の研究からはどちらかというと日常の精神活動に支障を与えることを示す悪い報告の方が目立ちます。たとえば、学業状態に悪い影響を与え、作業ミスや交通事故の原因となること、それだけでなく精神衛生上もよろしくなく、不安や抑《よく》うつとも関係することが知られています。くよくよと考え続けてしまうことにも原因があるのでしょうか。

私も幼い頃から、自分が失敗して恥《は》ずかしかったことをくり返し思い出してくよくよしていたこともありました。最近の脳科学研究から、こうした状態の背景には脳の「デフォルト・モード・ネットワーク（DMN）」があることがわかっています。

何もせずにぼんやりしているときの脳活動を測ったところ、意識的な活動をしているときよりも多くのエネルギーを要する活動が観察されたのです。いつでもスイッチを入れて発進できるような脳の状態にしているのでしょうか。

いずれにしても、マインドワンダリングの状態は、瞑想が求めるのとは逆の状態にいるのです。

話を瞑想に戻《もど》すと、それでも心を静かにするようがんばっていると、今度は気づくと眠《ねむ》っていた!……そんな日が2日ほど続きました。3日目となるとさすがにあせります。長い休暇をとって遠くまで来ているのに、眠ってばかりいる自分にだんだんと腹が立ってきました。

そこでこれまでの自分の生活がふと思い出されました。大人になってから、嫌《いや》なことがあったら、とりあえず眠って忘れるという癖《くせ》がありました。朝起きて、ふと解決の糸口が見えることもあったし、そうでもないこともありました。

脳科学的にこの状況を考えると、マインドワンダリングの強い私は、意識的に問題を解決するよりも、脳のスリープモードであるデフォルト・モード・ネットワークに任せて解決するというやり方をしていたのでしょう。

それはなんというか、汚《よご》れた洗濯物《せんたくもの》をタイマー付きの洗濯機に放りこみ、乾《かわ》くまで自動運転に任せてしまうという感じに近い印象です。便利ではありますが、しかしそれは日々のできごとをじっくり味わうことなく、どこかに放りこむようでもあります。瞑想によって、そんなぞんざいな自分の生活を、つきつけられたようにも感じられました。

眠りもなかなか厄介《やっかい》であることが、最近の研究から明らかになっています。脳を計測する技術の進歩により、これまで見つかりにくかったとても短い眠り、「マイクロスリープ」とよばれる現象が発見されたのです。マイクロスリープでは、短ければ数分の1秒、長くても30秒程度睡眠《すいみん》状態におちいります。ドライブ中にこのような事態におちいってしまったら、大惨事《だいさんじ》となることでしょう。

まだ研究段階ですが、不注意だといわれる人のなかには、気づかぬ間に意識の隙間にマイクロスリープがおきている可能性があるかもしれないという研究もあります。睡眠については、さらなる謎《なぞ》が潜《ひそ》んでいるのです。

過去と未来に縛《しば》られる自分

瞑想で最大の悩みだったのは、メモを取れないことでした。自分の記憶が保てるかどうかが、不安でたまらなかったのです。体験したことを頭に刻みこもうと反芻《はんすう》したり、瞑想が明けてからすべきことを列挙したりと、そんなことで頭はいっぱいです。今から思えば、感覚に集中するのとはまったく反対のことをしていたわけです。

自分の生き方の癖に直面したのですが、それでわかったことは、私たちのふだんの生き方が、いかに「過去と未来」に執着《しゅうちゃく》してふり回されているかでした。

人は多かれ少なかれ、過去と未来を行ったりきたりする癖がついています。といいますか、本来の人の特性は過去の知識と経験が豊富で、未来を見すえて計画をたてる能力が優れていることにあります。こうした能力が備わっていることをこの人間社会は求め、むしろ有能な人材とみなされるわけで、それが逆に瞑想の足かせになるというのは、皮肉《ひにく》な話です。

人の記憶の蓄積《ちくせき》量は、他の生物を圧倒するほど膨大《ぼうだい》です。過去の知識の蓄積はそれぞれの頭脳を超えて、言葉や書物といった媒体《ばいたい》として残されます。しかも社会に蓄積された記憶は、世代を追うごとに増大していきます。こうした人の特徴が、人を特殊《とくしゅ》な生物として進化させてきたわけです。

しかし長所の裏には、欠点があるということなのでしょう。過去と未来が肥大することによって現在に集中する時間が減ってしまったことは、人間の欠点といえるでしょう。

人は何らかの行動をおこしたり何らかの判断や決断をしようとするとき、過去を参考にして未来への影響をも考えるわけですが、その度がすぎ、過去や未来にとらわれすぎて、目の前のことができなくなってしまうこともあります。たとえば目の前のことに集中しようとしても、失敗した過去が気にかかり、この先どうなるのかといった迷いも出ます。そうした考えに縛られすぎると、目の前のことに集中できなくなります。

過去と未来にとらわれるという点からすると、人は、今を感じる力が薄《うす》れているのかもしれません。もちろん、過去や未来を考えるとしても、バランスがとれていれば問題はないのです。私たちの頭の中にある過去や未来は、よりよく現在を行うために存在しているのですから。

しかし、その過去と未来のバランスを失うと、過去や未来にとらわれすぎて、現在を見失ってしまうことにもなります。その結果、目の前には存在しない、心の中の苦しみにとらわれてしまうことにもなるわけです。

瞑想中は、外界からの刺激を遮断するだけでなく、メモや会話を禁止することによって過去や未来に意識が向くのをおさえ、今の感覚に集中するように仕向けていたのだと思います。

感情と感覚を切り分ける、感情におぼれない

瞑想の本番は、体の感覚を頭からつま先まで、順番に感じるというものでした。

睡魔《すいま》におそわれまくった段階を脱《だっ》してから、起きていられる時間も増えていきました。しかし起きてさえいれば感覚に集中できるかというとそうでもなく、頭の中であれこれと意見を言ったりつっこんだりする癖が抜《ぬ》けません。記憶や言葉といった感覚以外のものが次から次へと頭の中に押《お》し寄《よ》せてきて、感覚をどんどん駆逐《くちく》していくのです。

この簡単な瞑想を体験してみると、人の意識は知識と先入観とで満ちあふれていて、感覚そのものを感じることは難しいと実感されます。なにかを純粋《じゅんすい》に感じようとしても、知識がじゃまをするのです。すでに知っている「あの感じ」ということで片付けて、勝手に感じた気になってしまうのです。

とても大事なこととして、感覚は「今」なのです。純粋な感覚は、先にお話ししたように、感覚を受け取るまでに多少の時間はあるものの、それは非常に短い単位で、遠い昔のものではないし、未来のものでもありません。目の前に置かれたみかんの色、みかんをつかんだときのひんやりした感触。手もとに近づけたときにほんのり感じるにおい、そしてその味。それぞれの感覚は、感覚を受け取る瞬間《しゅんかん》にあります。

「今」に集中して感覚を見届けるには、眠りなど様々な障害がありました。瞑想の先人たちは、それらはこれまでの自分の生き方を守るために行う「無知」な行為《こうい》だと説明します。眠ってばかりのときにはほんとうに「無知」だなあと、しみじみ感じたものです。

身体の感覚を頭から足の指先まで順番に感じようとするなかでは、感覚にしっかりと気づくことができるのは頭と顔ばかり。感覚はよく使う頭や顔、そしてその次によく使う手に集中します。その他の身体の部位の感覚は希薄でうつろいやすく、つかみにくいのです。いかに身体の感覚が鈍感《どんかん》で忘れ去られやすいか、それが日々の経験によるのかを、直に体験することができました。

新たな問題も立ちはだかります。そこには感情が出てくるのです。感情は、今その場で感じるということで、感覚に近いようにもみえます。友人とけんかして泣いたり怒《おこ》ったり、楽しい時間を過ごして笑いころげたり……。そんな様々な感情は、今このときに生じます。

しかし皮肉なことに、感情は、感覚に似ているようで決定的に違うのです。「感情におぼれる」という言葉がありますが、感覚におぼれることはないでしょう。感覚を分析《ぶんせき》する仏教では、感情におぼれることを徹底的《てっていてき》に避《さ》けるようにしているのです。

では、感情と感覚との違いはどこにあるのでしょうか？　それはまさしく、「感情におぼれる」と言葉で表現されるところにあります。感情は感覚のように、においをかいで色を見て、それだけで終わることはないのです。そこには「身体の反応」が、必ずついてくるのです。身体が自動的に反応するところが、感情の特徴なのです。

ときにはこの反応が強すぎて、自分を見失うことすらあります。悲しみに明け暮れ、怒りに燃えて、周りがまったくみえなくなってしまうことすらあるわけです。それが「感情におぼれる」ことになります。

感情は、顔の表情にもあらわれます。表情として露骨《ろこつ》にあらわれれば、必然的に他者に感情は伝わります。そうすることによって感情は、他者の行動を変えることができるのです。泣けば同情してもらえるし、怒れば相手の態度は変わります。意図するしないにかかわらず、感情は表情を経由して、相手を操作する力があるのです。

感情が感覚と異なるもうひとつの点は、感情の生じる理由が、過去や未来と結びついていることにあります。つまり感情の反応は今であっても、それが生じる理由は過去や未来のできごとに結びついているのです。それは感情が生じるそれぞれのできごとについて分析していくと、わかることでしょう。

たとえば悲しみの感情は、「どうして、こうなってしまったの」と、過去に固執《こしつ》することによってわきあがるわけです。怒りは、自分の意見が受け入れられない状況を拒絶《きょぜつ》して、最終的に相手を変えたいとする方向にあるわけです。

瞑想をしているときに、感情に出合うのはよくあることでした。感情は反応と一体化しています。感情には必ず生理的反応がくっついています。嬉しい気持ちではドキドキしたり、怒りでイライラしたり激高したり……、呼吸や心拍《しんぱく》などの身体の反応が必ずついてくるのです。こうした動きを不快に思って拒否《きょひ》することなく、追い求めることなく、「自分は怒り始めるのかも」という微細な動きを観察するのです。

たとえば喜びの感情はわくわくするような感覚が、怒りや負の感情は嫌な感覚が身体の中に発生することがあったとしても、静観するだけ。それを感情として反応したり、さらにその反応を加速させることはあってはならないのです。この感覚は嫌だと無理に拒絶したり、この感覚は気持ちいいと固執したりしないことが大切です。拒絶あるいは固執することによって、人の苦しみは生まれると考えるからです。

渇望《かつぼう》したり、拒絶したり、そこに無理が生じるのです。感情的な反応は、身体の中に残ります。残ってこり固まって、厄介なことになると考えるのです。

動かずして身体感覚と闘《たたか》う

この時期には、同室で夜中に声をあげている人もいましたから、それぞれの中に様々なことがおきていたのでしょう。

私自身もこんなにストイックな時間と空間を過ごしているにもかかわらず、夜、悪夢にうなされました。これまで見たこともないような、じつにリアルで色あざやかな、人と人とが戦いあっている流血のシーンが夢に出てきて、さけび声をあげそうになりながら飛び起きたりしました。感情が爆発しているような感じです。思考は過去や未来に飛び回って固定しない、目の前のことから逃《に》げるように眠っているだけ、それらの状況から脱したと思ったら、今度は感情が飛び出してくる。とても厄介《やっかい》な状況でした。

感覚と感情をしっかり分けることが、瞑想の大きな目標ともいえるでしょう。感覚から知覚・認知、あるいは感情へと自動的に流れていくこれまでの心の慣習を見なおすことが瞑想の要《かなめ》です。

10日間座り続けている間には、心の中に、小さな嵐《あらし》を何度も体験しました。それは人生で出合った、様々なつらいできごとの再現でした。親や学校、友人や社会とぶつかったこと、それらのひとつひとつのできごとを感情的に反応せずにたんたんと受け流し、再び自分の感覚に集中するように努力しました。ときには難しいことも多かったのですが。

このように、瞑想を進めると、感覚を感じるなかで過去のできごとを思い出すことが何度もありました。自分が固執したできごとまでさかのぼり、そのときの自分の対処のしかたを再評価し、正しい対処のあり方を作りなおす——一般的な心理療法《りょうほう》では、これらを意識的に行うのですが、瞑想ではこうしたすべてをたんたんと観察するだけです。感覚をとらえなおすうちに、ゆがみをほぐしていくようです。

過去のできごとに触《ふ》れそうになったときには、再び感情がわきあがることもありました。しかしそこで再び感情にとらわれると、身体が反応して、同じように再びゆがみが生じるように思えるのです。楽しいことも嫌なことも固執せずに拒否せずに、静かに観察し、泡《あわ》と消えていくその反応をみることによって、瞑想は進んでいくようなのです。

瞑想と身体技法

瞑想の10日間があけて外界に出たときの感動は、忘れもしません。あらゆる感覚がありありと実感を持って感じられました。たとえば風にゆれる木立の、ひとつひとつの木の動きまで感じることができて、それをなによりも美しく感じ取ることができたのです。まるで、窓ガラスの表面に蓄積《ちくせき》されたほこりが取り除かれたような感じに近いものでした。これまではくもっていた窓ガラスをふいたような感じで、目に見えることひとつひとつの美しさに、今までなぜ気づかなかったのだろうと思ったほどです。

感覚をとぎすますと、感覚は五感《ごかん》だけではないこともわかります。哲学《てつがく》や認知科学でも、感覚は五感だけではないという主張もあり、体性感覚や重力感・内臓感覚も感覚の一部であるわけですから、トンデモ科学というわけではないのです。そんな五感だけではない、広がりのある空間の感覚をなんとはなしに感じられたことは、有益な体験だったと思います。

瞑想は、複雑な社会に生きるなかで人が失いかけている、現在を感じるこの感覚を取り戻すためにあるともいえるでしょうか。

瞑想は生活習慣の改善にも効果をあげていて、当時も禁煙《きんえん》を目的として通っている人もいました。10日間の瞑想の間に触れなかったアルコールや喫煙《きつえん》などには関心が薄れ、手が伸びることがなくなるようです。アルコールをたしなむ程度だった私の場合は、感覚が鋭《するど》くなったせいかアルコールに弱くなってしまい、ほしいとは思わなくなっていました。

瞑想からあけて現実社会に戻る際には、いろいろな抵抗を感じました。雑多な現実と理想郷との乖離《かいり》に、とまどうのです。ときにはさわがしい現実にいらだつことさえありました。過去と未来を切り離し感覚に集中する瞑想は、社会との距離を持つことにつながるのでしょうか。10日の瞑想は、伝統的なスタイルにのっとっているとはいえ、現代社会からすると強引にも感じるかもしれません。しかし、これまでの人生で時間をかけて形成されてきたものにメスを入れるのですから、時間をかけてゆっくりすることが必要です。逆に即効性《そっこうせい》をうたうものがあったとしたら、疑ってかかった方がよいでしょう。

瞑想を悪用した事例として、日本ではオウム真理教《しんりきょう》による悲惨《ひさん》な事件がありました。1980年代末期から教祖である麻原彰晃《あさはらしょうこう》の修行の名のもとに多くの若者が入信し、1995年の地下鉄サリン事件をはじめ教団と敵対する人物の殺害や無差別テロなど多くの事件をおこし、２０１８年には教祖と側近の計13名の死刑《しけい》が執行《しっこう》されています。

家族や社会に不満を持つ若い世代に声をかけ、たくみに社会や家族から切り離し、教祖だけを信頼《しんらい》させるようにマインドコントロールをしたのです。若者たちは教祖にあやつられ、世間を震撼《しんかん》させるような凶悪《きょうあく》な事件を次々とおこすことになりました。

オウム真理教が当時の若者の気持ちをつかんだポイントには、瞑想を含む修行の成果の速効性があったようです。効率を重視した当時の優秀《ゆうしゅう》な若い人たちにとって、それがとても魅《み》力的《りょくてき》に映ったのです。当然ながら、修行の最短ルートなどあるわけもなく、薬物を使用するなどのだましがあるわけです。

このように、青年期の危機の弱点を巧妙《こうみょう》に使って忍《しの》びこもうとする人たちもいます。この社会のあり方に疑問を持ち、よりよい社会に変えようという志を持つ若い人たちの気持ちを悪用するのは許しがたいことです。

自分の問題を強引に矯正《きょうせい》しようとすると、まかり間違《まちが》えば（それはほんとうに、一部の誤った判断なのですが）自分が育ってきた環境を、そして社会を否定することにもつながることになりはしないかと危惧《きぐ》するところもあります。オウムと似たような事件は過去にアメリ力でもおきています。理想を追い求めるあまり、反社会的なカルト集団に吸い寄せられてしまう危険は、どの国でもいつの時代もあるのです。世間から離れた理想的な社会を作ろうとして道を見誤り、社会を敵対視し攻撃《こうげき》の対象としてしまったところで崩壊《ほうかい》します。

特に、人里《ひとざと》離れた場で行われる瞑想は、注意しなくてはいけない点もいろいろあります。どんな団体が主催《しゅさい》しているのかは、しっかり調べておく必要があります。

瞑想のポイントは、呼吸に注目したことによって、座っているだけなのに、身体感覚にメスを入れることができた点にあるでしょう。呼吸に注目した身体技法は、瞑想以外にもたくさんあります。たとえばインド発祥《はっしょう》ということで瞑想と共通しているヨガ。これも呼吸に注目した身体技法で、しかも瞑想と同じようにひとりでやるという点で共通しています。ブッダもそうでしたが、かつてのインドでは、ひとりで森に行って修行をしていたのでしょうか。

中国の太極拳《たいきょくけん》や日本の合気道《あいきどう》なども、呼吸に着目します。ただ、インドから少し離れた東アジア圏《けん》にある中国や日本のこれらの身体技法は、ひとりでやるヨガや瞑想と比べると、前提として相手がいるという違いがあります。柔道《じゅうどう》や剣道《けんどう》は相手がいないと成り立ちませんし、ひとりでやる太極拳ですら、前提として相手の力を抜《ぬ》く日本の合気道に近い考えがあります。

人間関係の緊密《きんみつ》な農耕社会である東アジアの生活感覚に合っているような気がします。

いずれにせよ、柔道や剣道、そして茶道《さどう》やヨガも、これらはすべて感覚を敏感《びんかん》にするという点においては瞑想と共通した身体技法ともいえるでしょう。呼吸と感覚という身体感覚を用い、感覚を鍛《きた》えるという観点から、心と身体を鍛えるのです。さらにいえば心身統合を規《き》範《はん》と考えるのは、東洋の発想ともいえるように思います。

呼吸に着目して感覚に敏感となるこれらの身体技法は、身体を鍛えることに着目する西洋のスポーツとは異なる視点です。身体を鍛える技法は多岐《たき》にわたりますが、いずれも究極の目的は、身体と心の関係やバランスを鍛えるという点にあります。自分に合った身体技法が見つかれば、より広い視点でゆったりとした気分で周囲を眺《なが》めるような、新たな視点を獲得《かくとく》できるかもしれません。

「笑うから楽しいのだ」

とはいえ、本格的な瞑想にチャレンジしたり、実際に新しい手技を実践したりすることは、ハードルが高いかもしれません。そこで本章の最後に、顔の表情を使って簡単に気分を明るく変えることができる方法を紹介《しょうかい》しましょう。

その手法とは――「笑顔をつくる」です。単純なことにみえますが、この背景には、180年代に2人の心理学者によって提唱された「楽しいから笑うのではない。笑うから楽しいのだ」という、ジェームズ・ランゲ説という理論があります。これはつまり「笑顔をつくることによって楽しい気分になる」ということで、感情は、筋肉などの生理的な反応によってつくられることを示したものです。

この理論に基づいた実験では「唇《くちびる》をつき出し、歯が触れないように、唇でしっかりとペンをくわえる」あるいは「唇が触れないように、やさしく歯でペンをくわえる」、いずれかの動作を続けます。この2つの動作は表情をつくる筋肉の動きが異なり、唇をつき出した表情の前者はむっとした不快な感情に、にっこりとした表情の後者は快適な感情に変化したそうです。

ペンをくわえるだけで感情が変わるとは、あまりにセンセーショナルな実験ですが、結果を検証するために同じ実験をくり返しても結果が再現されないこともあるので、実験もジェームズ・ランゲ説も疑問視されるようになりました。

とはいえ、個人的な体験では、ジェームズ・ランゲ説は支持されるようです。たとえば「顔面麻痺《まひ》」という病気で表情筋が麻痺して動かなくなってしまうと、感情がわかなくなってくるそうです。ただしこれは患者《かんじゃ》が語る個人的な体験であるため、結果の一般性を知ることは難しいです。その人の性格による、その人だけの事象であるかもしれないからです。

そこで２０１０年に「ボトックス」を使って、人工的に顔面を麻痺させる実験が行われました。目尻や眉《まゆ》・額《ひたい》のしわを改善するボトックスは、美容整形でも使用されています。ボツリヌス菌《きん》から抽出されたタンパク質の一種ボツリヌストキシンを、顔面に注射するのです。すると、一時的な筋肉麻痺が生じます。そこでボトックス注射をした実験参加者に映画を見せて、その感情体験を測ったところ、感情に影響を与えることがわかったのです。

これらのことから、少なくとも無表情でいるよりは、自身の感情を高めるために、顔を動かして筋肉活動をつくりあげることは大切といえるでしょう。明るい気持ちになるためには、積極的に顔を動かし、笑顔をつくることが大切なのです。

さて、本章最後のお話として個人の体験と実験結果との違いに触れましたが、じつは本書では、この２つの間を行き来していました。つまり、実験によって明らかにされた平均的な身体の特徴と、一個人の経験から深く理解される身体の特徴について、この2つの考えが混ざっていたのです。

前者は心理学や認知科学的な研究による考えであり、後者は哲学的・現象学的な考察です。身体とは、この世界に存在する客観的な存在である一方で、それぞれの個人の体験に基づく対象でもあります。ですので、身体を知るうえでは双方《そうほう》の考えを知ることが必須なのです。自分の身体が持つ問題に処するためには後者が、全体の傾向を知るためには前者が必要です。そのバランスを考えながら、自身の身体に向き合ってほしいと思います。

終 章

少し長いあとがき
こころと身体から，自分を知る

ゴッホ《自画像》1889 年

最後に少し長いあとがきを残しておきます。本書で伝えたかったことは、痛みを恐《おそ》れることなく身体を動かすことでした。痛みを知ることについて、もう少しだけ書き加えておきます。

今から思い返すと、私が心理学を志した理由のひとつに、小学校低学年から高校にかけて、心の奥深くに閉ざされた体験があるように思います。当時は意識することもない記憶《きおく》のひとつだったのですが、研究や医療《いりょう》の現場に身を置くと、今の時代ならば教育や医療・社会の支《し》援《えん》を受けて防ぎえた問題だったと、時々やりきれない気分になります。

それは本文でもお話しした、叔母《おば》のことです。発端《ほったん》は若い頃《ころ》のダイエット。それは当時まだあまり知られていなかった、摂食《せっしょく》障害と思われる症状《しょうじょう》でした。

それより以前から祖母と叔母の間にはいろいろな問題があったと思うのですが、叔母の生活上の(特に金銭面の)自己管理の弱さなどを考えるに、今の時代ならばもう少し早く周囲が問題に気づき、なんらかのサポートができたのではないかと思うのです。

叔母はその後、病院を出たり入ったりのくり返しで、最後は病院で亡くなりました。

そしてまた、自分自身のことをふり返ると、身体を使いこなすことについては、満足にできたことはありません。幼い頃から運動神経の良い父親になにかと外に連れ出されてはあちゆるスポーツに挑戦《ちょうせん》させられていましたが、スポーツはなにをやっても苦手。身体もかたく、頭でっかちで考えばかりが先走り、身体を動かすことが嫌《いや》になりました。それはどうしようもない、自分の癖《くせ》でした。

それでも、この不器用な身体で社会や他人とぶつかり、痛みを感じながら、傷だらけのなかで成長してきたように思うのです。

身体を持つ苦しみ、痛みについて

身体を持ってこの世界に生きるということ、それはイコール、それぞれの身体で様々なことにぶつかり成長していくということです。生物から由来したこの身体は、人や社会と矛盾《むじゅん》し、衝突《しょうとつ》します。そこに苦しみや楽しみが生まれます。家族、学校、会社……人は社会をつくりあげ、私たちはそのなかで生きています。その生きるための主軸《しゅじく》が、身体です。

そして身体は、様々な意味を私たちにもたらします。たとえば私たちの顔や身体は人目にさらされ続け、評価されながら生きていきます。太っているとかやせているとか、そんな見た目の評価に人は苦しむことがあります。

男らしいとか女らしいとかで、ふるまいや服装まで決められることもあります。人は相手を型にはめて判断しがちなところがあるので、注意しなければなりません。

見た目の評価は、その人自身をあらわすわけではありません。それでも、評価は気になります。それが苦しみをもたらすこともあるでしょう。異質なものをこばみ、平均をよしとする圧力の強い日本の社会では、特に注意する必要があります。

人は異質なものをみると驚《おどろ》きますが、それは自然な反応で、驚き自体は中立的な感情です。異質なものへの驚きをポジティブにおもしろがって受け入れることもできますが、今の日本人はネガティブにとらえて拒否《きょひ》する傾向《けいこう》が強いようにも感じます。

見知らぬものを受け入れるか拒絶《きょぜつ》するかは、どちらかというと後天的な学習によるものです。それは赤ちゃんの実験からも示されます。生後10か月頃の赤ちゃんは見知らぬ人に出会うと驚き、自分を抱《だ》っこしている親の表情をのぞき見ます。親の表情から、行動を変えるのです。親が不安そうな顔をしていたら泣いて拒絶し、安心した表情であればほほ笑んで受け入れる。これは「社会的参照」とよばれる現象で、つまり、見知らぬ人を拒絶するか受け入れるかは、親の行動にしたがうのです。

くり返しになりますが、今の日本社会は、異質なものをネガティブにとらえる傾向が強いと感じます。そうした心理は親を通じて、あるいは周囲の大人や友人を通じて、子どもたちに受けつがれるのかもしれません。

しかし今はそうであっても、ひとりひとりの行動が変わっていけば、後の世代の学習は変わるかもしれません。「社会的参照」の学習によって、将来的には全体の行動も変化する可能性もあるのです。

身体の使い方に話を変えると、第1章で述べたように、実際に身体を使って動き回ることによって、身体感覚は熟達することがわかりました。身体を使った学習で、この世界によりよく適応できるすべを学んでいくのです。そのためには、頭でっかちにならずに身体を動かすことが大切でした。様々な特殊《とくしゅ》感覚も学習のたまものであったように、その特殊な技能を得る背景にあるのは学習なのです。

痛みと不安・恐怖《きょうふ》について

身体を健全に成長させるためには、身体を使うことこそが大切です。しかし頭でっかちになってしまった人は、身体を使うことをためらいがちです。その理由のひとつに、痛みへの恐怖があるでしょう。痛みはつらいもので、できれば避《さ》けたいものです。ですがその一方で痛みは、生きている実感を支える大切な感覚でもあります。

痛みは、「これ以上は危ない」「これは気を付けなくてはいけない」という身体の限界を教えてくれます。それだけでなく、自身の痛みの経験は、実感を持って他者の痛みを感じとることにつながります。社会性の原点がそこにあるのです。私たちは、痛みからの教えを、大切なものとして受け止めるべきではないでしょうか。

痛みを避ける根底にあるのは、不安や恐れなのでしょう。不安や怖《こわ》さは、時として私たちの歩みを止めます。誰《だれ》もが避けて通りたい試験や注射など、体験する前は不安で怖くてしかたなかったけれど、実際に体験してみたら、そうでもなかったという経験はありませんか？

たとえば最も恐ろしい病のひとつであるがんを前にして、自分の負の面を知る怖さは、数値にあらわれています。「平成26年度内閣府がん対策に関する世論調査」によれば、自分の状《じょう》況《きょう》を知って治療《ちりょう》をすれば治る病でもあるにもかかわらず、がん検診《けんしん》を受けない理由に「がんであるとわかるのが怖いから」が、時間がない、経済的負担の次の第3位にあがっています。

不安や恐怖は目の前の行動を止め、身体の学習をはばむ障壁《しょうへき》となります。しかも不安や恐怖には、「つかみどころがない」という問題があります。それは痛みも同様で、主観的であいまいです。たとえば同じ傷をおったとしても、大きな痛みを感じる人もいれば、それほど感じない人もいます。しかし痛みの原因である傷や、それから生じる感覚は存在します。受けた感覚をどう評価するかだけが、人によって異なるのです。

一方、不安や恐怖は、これから先の未来に生じることへの恐れによって生じます。そこには感覚はありません。頭でっかちな「認知」から、目の前の行動を止めるのが、不安や恐怖なのです。

このように説明すると、恐怖や不安は悪い感情にみえます。しかし本来の恐怖や不安は、危険を回避《かいひ》するという重要な働きをするのです。たとえば危険な状況や危険な人物に出会った際に、不安や恐怖から立ちすくむことによって、危険な事態に近づかないように働きます。
この働きをつかさどるのが、脳の中の扁桃体《へんとうたい》とよばれる部位で、先にも触《ふ》れたように過度な恐怖の体験にさらされ続けると、扁桃体の働きはおかしくなりました。不安や恐怖は適切に働けばいいのですが、そうでない場合もあるのです。

また、不安や恐怖の反応の強さは人によって異なり、それはそれぞれの経験だけでなく、生まれつきの性格によっても決まります。たとえば筆者はどちらかというと、不安や恐怖を大きく見積もりがちなタイプで、その結果、痛みの学習がうまくできなかったように思います。だからなおいっそう、痛みを知ることの重要性を感じるのです。

痛みを通して、私たちはこの現実とその多様性をよりリアルに味わうのではないでしょうか？　コンクリートの地面ですりむいてヒリヒリした膝《ひざ》の痛み、友達とのちょっとしたけんかで感じる心の苦い痛み、自分の気持ちが相手に理解されないという重い痛み……それぞれの痛みの違《ちが》いから、この現実の多様性や多面性を感じていきます。それは頭で考えたものとは決定的に違う、リアルさがあるのです。

それらは、あなたの人生を深めるのではないでしょうか。様々な痛みを知ることにより、他者の痛みへの理解が深まるように思うのです。それだけではありません。様々な体験を経ることにより、本来あなた自身が持っていた、恐怖や不安の傾向も少しずつ軽減されていくのではないでしょうか。

私自身のことをいえば、がんという病に出合って、押《お》しつぶされるような怖さは、ひたすら治療を続けるなかで、毎日のつらさやしんどさに変わっていきました。治療でしびれる手や動作の不自由さを日々感じる方が重くつらく、お年寄りの人たちのゆっくりした動作にも共感を持って気を配るようになりました。恐怖や不安が軽減されていくと、気持ちもだんだんと軽くなっていきます。そんな方向に人生のかじを切ってもらえるとよいなと思います。

テレパシーではなくリアルな痛みで

ところで、五感《ごかん》を超《こ》えた能力であるテレパシーを持つことができたら、それはうらやましいと思いますか？　人よりも敏感《びんかん》な感覚で相手のことを知ることができたら、便利だと思いますか？　万能な身体と感覚を持って生まれたら、それはすばらしい能力であり、有利に生きていけると思いますか？

残念ながら、世の中は、そんなに単純ではないのです。感覚の鋭《するど》さについていえば、多くの日本人は極めて高い能力を持つと言ってもよいでしょう。ぎゅうぎゅうにつめこまれた満員電車で言葉をかわすこともなくそれぞれの位置を確保しあったり、学校や職場で空気を読みあいながら人間関係をつくりあげたり。いずれも異国の文化の目からみると、テレパシーで通じあっているようにみえるのではないでしょうか。

繊細《せんさい》な気持ちのやりとりができることは、誇《ほこ》りを持っていいと思います。それは「おもてなし」の精神や、相手の気持ちをおもんばかってさりげなく行動できることにつながります。

こうしたやりとりの源流として考えられることに、表情を見るときの視線の読み方の特徴《とくちょう》が関係しているかもしれません。最近の研究によると、欧米《おうべい》の人たちは口もとではっきり表情をつくりそれに注目するのに対し、日本人を含《ふく》めた東アジア人はわずかな表情変化を読み取るため目元に注目します。そしてこうした視線の読み取りのやり方の違いは、生後7か月からみられることを、私たちの研究で明らかにしました。

欧米人と日本人の表情の読み取りの違いが、生後1歳《さい》未満という極めて幼い時期から身についているという事実が実証されたのは、衝撃《しょうげき》でした。細やかに相手の表情を読み取ることはすばらしい能力ですが、ただ、それが幸せにつながるかは、別の問題といえるでしょう。日本人の場合、ときに互《たが》いの感度の高さが度を越《こ》して、互いに互いを縛《しば》りあうまでに達してしまうことはないでしょうか？

それは小さな島国でひしめきあって、せまい範囲《はんい》しか目に入らずに暮らしているせいもあると思います。よその国と国境を接していない日本ではしかたのない面もありますが、それは世界的にみて、一般的《いっぱんてき》ではありません。まずは思春期までのみなさんは、自分がまだ身のまわりの小さな世界しかみていないことを頭に入れておいてほしいのです。そしてもしも今、心と身体のバランスをくずしかけているとしたら、それは自分に問題があるわけではなくて、窮屈《きゅうくつ》な社会のせいかもしれないということも。

若いうちに、より広い世界を知る経験を得ることは大切です。海外に渡《わた》って異文化を体験することや、ボランティア活動などで異なる地域や異なる世代の人と交流することも得難い経験でしょう。学校から出て、自分の身体で様々な異文化を体験し、そこでとまどう体験をより多くすること。痛みや失敗を怖いと思うかもしれませんが、これらは新しいことを学習するうえでは最も重要なことなのです。

失敗による痛みは、学習に重要な役割を果たすという強みもあるのです。いわゆる学習は、行動を修正するために「報酬《ほうしゅう》」を与える「強化」と、「罰《ばつ》」を与える消去で成立します。これは20世紀初頭のアメリカでバラス・スキナーやジョン・ワトソンが動物を対象に実験をくり返した行動主義心理学による基本原則です。

当然ながら人間の学習における報酬と罰は、動物実験のようなエサや電気ショックではありません。人の最大の報酬は人にほめられること、そして人と喜びをわかちあうことにあります。こうした報酬は、実際に島皮質《とうひしつ》など脳の報酬系をつかさどる部位を活動させることがわかっています。そして罰の方は、「失敗した!」「やっちゃった!」と感じる痛みの効果が大きいのです。つまり人は、人とつながることによって、そして痛みの経験によって、学習し成長していくのです。

そうして得たより広い経験は、自分の世界を広げることにもつながります。広い目で自分や周囲を見なおすことにより、客観的に自分や周囲をみることができるでしょう。自分と同じではない、いろいろな暮らし方があることを知る。それによって、自分がどのような場所で、どのような文化のもとに生きているかを知ることができるのです。

広い社会に入っていけば、クラスメート同士がテレパシーのような敏感さで通じあっていたことが、いかに原始的なコミュニケーションであるかがわかると思います。身体的なつながりは根源的で重要ですが、根源的であるがゆえに原始的でもあるのです。

じつは、テレパシーは、動物のコミュニケーションに近いようなものなのです。なぜならそれは極めて内輪で、その文脈からはずれたらまったく通じないからです。世代が違えば通じないだけでなく、ちょっと違う環境《かんきょう》に行ったら通用しないコミュニケーションは、役に立たないことが多いのです。

人の心を感じ取る繊細さには大切な面もあるかもしれませんが、ローカルな法則でのつながりにすがることは誤解を生むこともあり危険です。つまり最終的には、言葉できちんと語りあい、伝えることが大切だということを、心に留めておくべきでしょう。

ふつうとは何か?

世界は多様になりつつある一方で、平均をよしとする圧力があります。心の余裕《よゆう》がなくなると、平均への暗黙《あんもく》の強要がさらに加速するようにみえます。この強要は日本社会に強いようで、精神科医の泉谷閑示《いずみやかんじ》によると「ふつうが一番」というのは日本人くらいだそうです。ふつうになれない苦しみから「ふつうになりたい」と診療所《しんりょうじょ》をたずねる患者《かんじゃ》は多いとのこと。そこで精神科医が「ふつうの人ってみたことがないのですが、どんな人ですか？」と聞き返すと、それに答えられる患者はいないそうです。

いったい、「ふつう」とは何なのでしょうか？「平均」ならば、まだ考える糸口があります。コンピュータグラフィックスを使えば「平均顔」を作ることができます（図5-1）。作りあげた平均顔は、そこそこ魅力的《みりょくてき》です。進化心理学では、平均性と左右対称性《たいしょうせい》が顔の魅力として議論され続けています。

しかしながら平均顔は「そこそこ」魅力的ではあっても、絶対的な魅力ではありません。平均顔は、特徴がなくて忘れられやすいからです。人気のある芸能人やハリウッドスターたちは、平均からはずれたそれぞれの特徴を持っていて、その特徴が忘れられないその人の顔となっておぼえられているのです。

つまり平均から逸脱《いつだつ》した部分が、個性であり魅力となるのです。ですが心の余裕がなくなると、それぞれの個性をみる余裕もなくなっていき、「突出してはいけない」という暗黙の

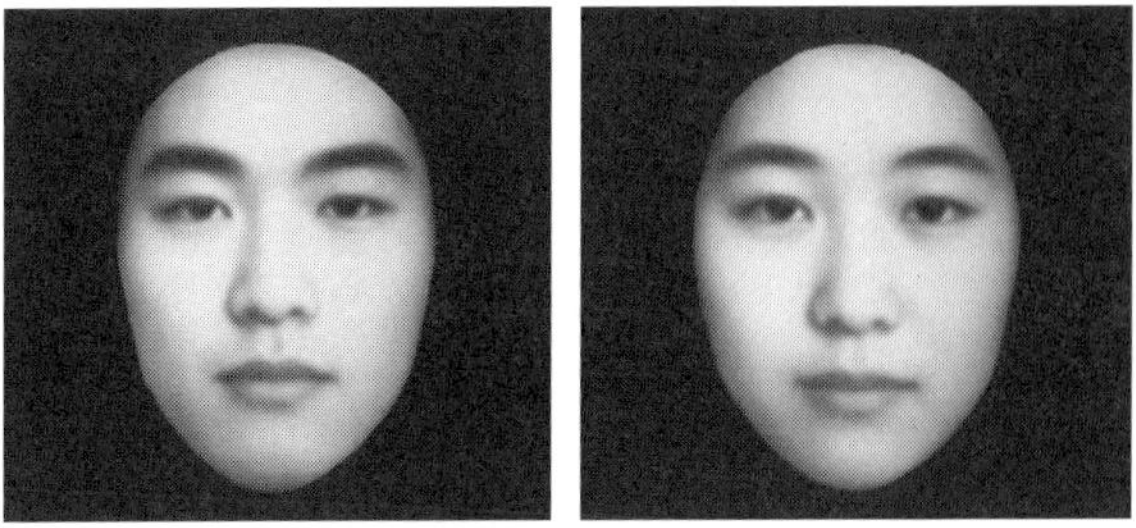

図 5-1　男女大学生の平均顔

平均顔は美しいか？　個性はみられないが整った顔

圧力が社会にはびこっていくのではないでしょうか。

一方で、社会のなかの多様性は進んでいます。医療技術が進み、様々な病が克服《こくふく》されるようになりました。早産児の生存率は格段にアップし、超未熟児で生まれた子どもたちの生存もまれではなくなっています。

生殖《せいしょく》医療も進歩し、不《ふ》妊《にん》治療による体外受精の数も増えています。日本産科婦人科学会の報告によると、国内初の体外受精が１９８３年に成功してから、２０１７年には５万６６１７人の子どもが体外受精により誕生し、この年に生まれた子どものおよそ16人に１人の割合になるそうです。また、脳出血や脳損傷の手術も進歩して、がんやエイズなどこれまで死の病とされた病気も克服されつつあります。

ですが、このような医療技術の進歩がそのままハッピーな社会につながるかというと、一筋縄《ひとすじなわ》ではいかないのです。投薬や治療を続けながら暮らす人も多くなり、健康と病の中間層の人が増えているともいえます。様々な出生状況で生まれる子どもの数が増えるにともない、発達障害とよばれる子どもたちの数も増加しています。先進国で発達障害が問題視されるのは、出生状況の変化が関係している面もあるでしょう。そのうえ寿命《じゅみょう》も延びて、高齢者の数も増えています。

実際のところ、日本社会はこれまでになく、多様な人々で構成されているのです。たくさんの個性が社会にあふれています。そんな今は「ふつうが一番」とか「人はみな同じ」という心のバリアを壊《こわ》し、それぞれの個性を楽しむことに転換《てんかん》すべき時期なのではないでしょうか。

私自身が手術と治療生活を経て退院したときに感じたのは、ふつうに健康が前提の世の中がひどく怖いという事実でした。改めて思うのは、これまでは何も考えずに平均の基準で暮らしてきたことです。

これから先は、どこまで仕事ができるのか、どこまで休めばいいのか、決めねばなりません。そして病を公表することにより、周りから「不治の病」と腫《は》れ物に触《さわ》るような目でみられ、「健康じゃないから、この仕事は無理だね」と言われるのではないかという不安と苦痛。

これらをこの身で体験してはじめて、同じような心境で生きていた人たちに身をもって共感できるようになりました。

身をもって痛みを知る経験は、他人の痛みを知るためにも重要です。若い人たちは痛みを体験する機会はまだ少ないかもしれませんが、自分の仲間内だけの世界にこもるのではなく、少しでも視野を広げようとする勇気があればそれでじゅうぶんだと思います。心の余裕のなさが、平均ですまそうというプレッシャーにつながるように思えてならないからです。

平均ですまそうということは、それぞれの個性を味わうことなく、表面的に処するやり方でもあるのでしょう。様々な個人を見極め尊重し、様々な個人の長所も短所も知りつくしながら過ごしていく。そんな心の余裕を作りたいものです。互いの違いを認めあい、互いの違いをみがきあう社会へと変わっていくことができたらと思うのです。

改めて世界を見渡すと、そこは多様性と単一性の入り交じりであることがわかります。渋《しぶ》谷《や》の交差点は、外国人観光客の写真スポットとしてにぎわっています。スクランブル交差点を行き交うたくさんの人たちが、ぶつからずにうまくすれ違っていくことが不思議なのだと思います。

その背景もエキゾチックです。大きなスクリーンに映し出される広告映像や、色あざやかな様々な看板の数々。このような雑多な街並みは、日本や中国、台湾《たいわん》、韓国《かんこく》、インドネシア、マレーシアなどの東アジアでみられるものです。色あざやかで大小様々な看板が並び、ドラッグストアの商品がところせましと路上まではみだす風景が広がります。かたや欧米では、整然とした街並みが並びます。通りに使う色が制限されている街もあり、欧米は街並みの統一感を大切にするのです。

こうした違いがある一方で、どこの国に行っても同じようなチェーン店が並んでいます。「なんで日本はマクドナルドばかりあるの?」と質問をするイギリス人やイタリア人がいますが、そういう欧米の国でも最近はちょっとした田舎に行っても日本風のラーメン屋の店があったりします。多様な文化を持つはずの地域に、同じような店や街並みが並び、似たりよったりの国へと変貌《へんぼう》をとげるところがあるのです。

そんな多様性と統一性へのプレッシャーという二面性を持つこの世界をどう生き、どう変えていくか、みなさんの身体で感じていってほしいと思います。

ほんとうの、あとがき

このあとがきを書いている2020年5月、世界の状況《じょうきょう》は劇的に変わっています。新型コロナウイルス感染症《かんせんしょう》（COVID-19）の影響《えいきょう》で、2020年東京オリンピック・パラリンピックは延期。学校は休校や遠隔《えんかく》授業へ、会社で働いていた人たちもリモートワークがすすめられるようになりました。人とのつながりを次々に断ち切られ、現実の身体同士の接触《せっしょく》は、どんどん希薄《きはく》になっていくようです。

私はこの2月にフランスからの来訪者を車で送迎《そうげい》している途中《とちゅう》、偶然《ぐうぜん》にも首都《しゅと》高速湾岸線《こうそくわんがんせん》を走る車窓から、横浜の大黒《だいこく》ふ頭に停泊《ていはく》しているクルーズ船を遠くに見ました。美しい白い船体に「DIAMOND PRINCESS」の文字を目にしたとき、私も外国からの客人も、同じように痛みと悲しみを感じたことが忘れられません。COVID-19の感染者がいることがわかったダイヤモンド・プリンセス号の乗員乗客たちは、そこで船ごと隔離《かくり》されていたのです。

その後、日本でのクルーズ船の対応について報道が飛び交うなか、私はイタリアやフランスの研究者たちを送り出しました。そして帰国の無事を心配していたところ、みるみるうちに彼らの国々が日本を追《お》い越《こ》し、感染が拡大していきました。

日本の日常生活も刻々と変わり、感染症と暮らす日々は窓の外の風景ではなくなりました。感染症は、世界のつながりが強くなった今だからこそ、予想もしない速度と規模で広がりました。その変化の速度に、私たちの心が追いつきません。

私は、「トランスカルチャー状況下における顔身体学の構築」という研究グループのリーダーをしています。心理学・文化人類学・哲学《てつがく》の研究者たちと一緒《いっしょ》に、様々な国や地域と多様な人々が交流していく「トランスカルチャー」についての研究を進めてきました。互《たが》いの境界を越《こ》えていくことを考えているなかで、感染防止のためにそれぞれの国がシャットダウンしていく状況に出合うとは、運命の悪いいたずらのように思えてなりません。

感染症は人々のつながりを断ち、不安にさせます。人類の交流の歴史をふり返ると、戦争や侵略《しんりゃく》と同じくらいの衝撃《しょうげき》が感染症にあることがわかります。たとえばスペインがアメリカ大陸の文明を征服《せいふく》した背景には、武力や組織の優劣《ゆうれつ》の問題だけでなくて、結核《けっかく》という感染症の耐性《たいせい》を持つスペイン人の特性があったのです。感染症は、戦争や自然災害と同じように人類にとっての大きな痛みの歴史です。

感染症の新たな歴史に、私たちはいやおうなく組みこまれています。そんな状況に立って改めて気づくことがあります。「人はつながりたい」のだということ。それが今までよりも、強く実感されるのではないでしょうか。

「家にいろ」と何度も言われても、街や公園に人は集まろうとしてしまいます。当たり前のように人と会うことができないつらさも、みなさんそれぞれ実感していると思います。この感染症の対策で一番難しいことは、人の「集まりたい」という気持ちをおさえることが難しいということでしょう。

日本に先んじて自宅待機をしていた国々でも、人ごみを避《さ》けて遠くの公園やビーチに行ったはずが、そこが人ごみになってしまったという映像を目にしていたにもかかわらず、それとまったく同じ光景を、日本でも見ることになりました。親しい人と近くにいたいと思う傾《けい》向《こう》は、いずれの国でも、止めることは難しいのです。そこを突《つ》いたウイルスのしぶとさに、悲しいけれど感心せざるを得ません。

この本でも夢の話をしましたが、自宅待機が始まってから、私はいつもより多くの夢を見ることに気づきました。ほぼ毎日夢を見ていて、職場だったりパーティーだったり飲み会だったりと、人に会う夢をほんとうによく見ました。毎日ふつうに人と会わないで生活するという特殊《とくしゅ》な事態に、心と身体ががんばって調整しているのを感じます。

顔や身体が現実世界で触《ふ》れあうことが難しくなった今、私たちはどのようにしていけばよいのでしょうか。

コンピュータを介《かい》したウェブ上のつながりは、地域や国を超える力があります。ウェブ会議で個人と個人がつながることには、電車や飛行機は不要。時差にさえ気をつければ、海外とのつながりは、いっそう近くなった気がします。サイバー空間で海外の人たちと交流し、学生の指導をしていると、オリンピックのように不特定多数の人が同じ場所に一緒に集まる大きなイベントはできないにしても、むしろ、個人個人のつながりはより強く保てるような気がします。

しかし今のところ、ウェブ上での人とのつながりは、現実に人と会うよりも、疲《つか》れます。現実の身体が介在《かいざい》しないことに、まだ慣れていないからでしょうか。

これは、新しい状況を頭で理解しても、身体が追いついていない証拠《しょうこ》のように思えます。最終的には身体については、身体で解決することが必要なのでしょう。生物としての人間、この地球上に生きて生活する私たち。そこに必ず付随《ふずい》するのは、身体です。この本は、生物としての人間と生物としての身体から自分について考えていこうというものでした。

感染症社会で暮らす日々は、自分の闘病《とうびょう》生活を思い出させます。桜が美しく咲《さ》くなかで死を意識し、新緑あざやかな季節に治療《ちりょう》のためむなしく自宅にこもっていた日々……、季節が外出自粛《じしゅく》と一致《いっち》していたせいでもありましょう。しかし感染症は、「集団の病」です。病の経験を経て成長した私と同じように、感染症という社会の病の苦しみを体験した人々は、確実に心の成長につながるのだと思います。

身体を抱《かか》えて生きていくことは、痛みを抱えて生きていくことでもあります。様々な経験で痛みを知りながら、それぞれの身体との付き合い方に習熟する。それこそが生きるということなのだと思います。そんな身体との付き合い方について、これからもまだ学ばねばなりません。まずは身体を使った経験が必要です。みなさんも、身体の痛みを感じる成長期間を過ごしていってもらいたいです。

これから先、人々はどのようにつながっていくのでしょうか？　閉ざされた国々と、どのように窓をあけて交流を再開していくのか。それはみなさんの未来に託したいと思います。自身の身体を使って、新しい世界を開いていってください。この本が、その一助になればと思います。

最後に、私の病と仕事の両立を支えてくださった方々に感謝を伝えて終わりたいと思います。岩波書店編集部の塩田春香さん、ヨガと瞑想《めいそう》を教えてくださった方々。病を抱えたリーダーを受け入れてくれた「顔・身体学」研究領域と大学の面々。私を研究に導いてくださった、多くの先生方。そしてつらい日々も共に歩んでくれた、共同研究者でもある夫に。

がんは、手術や再発予防のための抗がん剤療法も終了し、いまは元気に生活しています。それでも、病を得て身体に縛《しば》られ周りに頼《たよ》ることが増えたぶん、私の心はより広く開かれたのではないかと思います。

参考文献

★序　章

トーマス・メッツィンガー／原塑、鹿野祐介（訳）『エゴ・トンネル――心の科学と「わたし」という謎』岩波書店、２０１５年

栗原隆（編）『感性学――触れ合う心・感じる身体』東北大学出版会、２０１４年

ジャック・ヴァーノン／大熊輝雄（訳）『暗室のなかの世界――感覚遮断の研究』みすず書房、１９６９年

嶋田総太郎『脳のなかの自己と他者――身体性・社会性の認知脳科学と哲学（越境する認知科学）』共立出版、２０１９年

立花隆『臨死体験』文春文庫、２０００年

立花隆『宇宙からの帰還』中公文庫、１９８５年

スティーヴン・ラバージ／大林正博（訳）『明晰夢――夢見の技法』春秋社、２００５年

J・アラン・ホブソン／池谷裕二（監訳）／池谷香（訳）『夢に迷う脳――夜ごと心はどこへ行く？』朝日出版社、２００７年

★第１章

メルヴィン・グッデイル、デイヴィッド・ミルナー／鈴木光太郎、工藤信雄（訳）『もうひとつの視覚――

〈見えない視覚〉はどのように発見されたか』新曜社、2008年
吉村浩一、川辺千恵美『逆さめがねが街をゆく――上下逆さの不思議世界』ナカニシヤ出版、1999年
牧野達郎（編）『知覚の可塑性と行動適応』ブレーン出版、2003年
山田規畝子『壊れた脳 生存する知』角川ソフィア文庫、2009年
ジョナサン・コール／河野哲也、松葉祥一（監訳）／稲原美苗、齋藤瞳、谷口純子、宮原克典、宮原優（訳）『スティル・ライヴズ――脊髄損傷と共に生きる人々の物語』法政大学出版局、2013年
ショーン・ギャラガー、ダン・ザハヴィ／石原孝二、宮原克典、池田喬、朴嵩哲（訳）『現象学的な心――心の哲学と認知科学入門』勁草書房、2011年
河野泰弘『視界良好――先天性全盲の私が生活している世界』北大路書房、2007年
Morton A. Heller『Touch, representation, and blindness』Oxford University Press, 2000年

★第2章

小手川正二郎『現実を解きほぐすための哲学』トランスビュー、2020年
稲原美苗、川崎唯史、中澤瞳、宮原優（編）『フェミニスト現象学入門――経験から「普通」を問い直す』ナカニシヤ出版、2020年
David Perrett『In your face, The new science of human attraction』Macmillan, 2010年
榎本知郎『人間の性はどこから来たのか』平凡社、1994年

★第3章

村田純一『味わいの現象学――知覚経験のマルチモダリティ』ぷねうま舎、2019年

リチャード・E・シトーウィック／山下篤子（訳）『共感覚者の驚くべき日常——形を味わう人、色を聴く人』草思社、2002年
最相葉月『絶対音感』新潮文庫、2006年

★**第4章**

リチャード・E・ニスベット／村本由紀子（訳）『木を見る西洋人 森を見る東洋人——思考の違いはいかにして生まれるか』ダイヤモンド社、2004年
ウィリアム・ハート／日本ヴィパッサナー協会（監修）／太田陽太郎（訳）『ゴエンカ氏のヴィパッサナー瞑想入門——豊かな人生の技法』春秋社、1999年

★**終 章**

泉谷閑示『「普通がいい」という病』講談社現代新書、2006年

★**あとがき**

ジャレド・ダイアモンド／倉骨彰（訳）『銃・病原菌・鉄——1万3000年にわたる人類史の謎（上）（下）』草思社文庫、2012年

山口真美
お茶の水女子大学大学院人間文化研究科人間発達学専攻修了後，ATR 人間情報通信研究所・福島大学生涯学習教育研究センターを経て，中央大学文学部心理学研究室教授．博士(人文科学)．日本赤ちゃん学会副理事長，日本顔学会，日本心理学会理事．著書に，『赤ちゃんの視覚と心の発達』(共著，東京大学出版会)，『自分の顔が好きですか？――「顔」の心理学』(岩波ジュニア新書)，『発達障害の素顔――脳の発達と視覚形成からのアプローチ』(講談社ブルーバックス)など．
新学術領域「トランスカルチャー状況下における顔身体学の構築――多文化をつなぐ顔と身体表現」のリーダーとして，縄文土器，古代ギリシャやローマの絵画や影像，日本の中世の絵巻物などに描かれた顔や身体，しぐさについて，当時の人々の身体に対する考えを想像しながら学んでいるところ．本書執筆中のコロナ下，ディスタンシングを取る日本ならではの初対面の挨拶の「お辞儀」のあり方やマスクの扱われ方についても考え中．

こころと身体の心理学　岩波ジュニア新書 923

2020 年 9 月 18 日　第 1 刷発行
2022 年 5 月 25 日　第 2 刷発行

著　者　山口真美《やまぐちまさみ》

発行者　坂本政謙

発行所　株式会社 岩波書店
〒101-8002 東京都千代田区一ツ橋 2-5-5
案内 03-5210-4000　営業部 03-5210-4111
ジュニア新書編集部 03-5210-4065
https://www.iwanami.co.jp/

印刷・精興社　製本・中永製本

ISBN 978-4-00-500923-7　Printed in Japan

岩波ジュニア新書の発足に際して

きみたち若い世代は人生の出発点に立っています。きみたちの未来は大きな可能性に満ち、陽春の日のようにひかり輝いています。勉学に体力づくりに、明るくはつらつとした日々を送っていることでしょう。

しかしながら、現代の社会は、また、さまざまな矛盾をはらんでいます。営々として築かれた人類の歴史のなかで、幾千億の先達《せんだつ》たちの英知と努力によって、未知が究明され、人類の進歩がもたらされ、大きく文化として蓄積されてきました。にもかかわらず現代は、核戦争による人類絶滅の危機、貧富の差をはじめとするさまざまな人間的不平等、社会と科学の発展が一方においてもたらした環境の破壊、エネルギーや食糧問題の不安等々、来るべき二十一世紀を前にして、解決を迫られているたくさんの大きな課題がひしめいています。現実の世界はきわめて厳しく、人類の平和と発展のためには、きみたちの新しい英知と真摯《しんし》な努力が切実に必要とされています。

きみたちの前途には、こうした人類の明日の運命が託されています。ですから、たとえば現在の学校で生じているささいな「学力」の差、あるいは家庭環境などによる条件の違いにとらわれて、自分の将来を見限ったりはしないでほしいと思います。個々人の能力とか才能は、いつどこで開花するか計り知れないものがありますし、努力と鍛錬の積み重ねの上にこそ切り開かれるものですから、簡単に可能性を放棄したり、容易に「現実」と妥協したりすることのないようにと願っています。

わたしたちは、これから人生を歩むきみたちが、生きることのほんとうの意味を問い、大きく明日をひらくことを心から期待して、ここに新たに岩波ジュニア新書を創刊します。現実に立ち向かうために必要とする知性、豊かな感性と想像力を、きみたちが自らのなかに育てるのに役立ててもらえるよう、すぐれた執筆者による適切な話題を、豊富な写真や挿絵とともに書き下ろしで提供します。若い世代の良き話し相手として、このシリーズを注目してください。わたしたちもまた、きみたちの明日に刮目《かつもく》しています。（一九七九年六月）

924 過労死しない働き方
―働くリアルを考える
川人 博
過労死や過労自殺に追い込まれる若い人を、どうしたら救えるのか。よりよい働き方・職場のあり方を実例をもとに提案する。

925 障害者とともに働く
藤井克徳
星川安之
「障害のある人の労働」をテーマに様々な企業の事例を紹介。誰もが安心して働ける社会のあり方を考えます。

926 人は見た目!と言うけれど
―私の顔で、自分らしく
外川浩子
見た目が気になる、すべての人へ!「見た目問題」当事者たちの体験などさまざまな視点から、見た目と生き方を問いなおす。

927 地域学をはじめよう
山下祐介
地域固有の歴史や文化等を知ることで、自分・社会・未来が見えてくる。時間と空間を往来しながら、地域学の魅力を伝える。

928 自分を励ます英語名言101
小池直己
佐藤誠司
自分に勇気を与え、励ましてくれるさまざまな先人たちの名句名言に触れながら、自然に英文法の知識が身につく英語学習入門。

929 女の子はどう生きるか
―教えて、上野先生!
上野千鶴子
女の子たちが日常的に抱く疑問やモヤモヤに、上野先生が全力で答えます。自分らしい選択をする力を身につけるための1冊。

930 平安男子の元気な！生活
川村裕子
意外とハードでアクティブだった!? 恋に出世にライバル対決、元祖ビジネスパーソンたちのがんばりを、どうぞご覧あれ☆

931 ＳＤＧｓ時代の国際協力
―アジアで共に学校をつくる
西村幹子
小野道子
井上儀子
バングラデシュの子どもたちの「学校に行きたい！」を支えて――ＮＧＯの取組みから未来をつくるパートナーシップを考える。

932 コミュニケーション力を高める
プレゼン・発表術
上坂博亨
大谷孝行
里見安那
パワポスライドの効果的な作り方やスピーチの基本を解説。入試や就活でも役立つ「自己表現」のスキルを身につけよう。

933 確かめてナットク！
物理の法則
ジョー・ヘルマンス
村岡克紀訳
ロウソクとＬＥＤ、どっちが高効率？ 物理学は日常的な疑問にも答えます。公式だけじゃない、物理学の醍醐味を味わおう。

934 深掘り！ 中学数学
―教科書に書かれていない数学の話
坂間千秋
三角形の内角の和はなぜ180°になる？ なぜ割り算はゼロで割ってはいけない？ なぜマイナス×マイナスはプラスになる？…

935 はじめての哲学
藤田正勝
なぜ生きるのか？ 自分とは何か？ 日常の一歩先にある根源的な問いを、やさしい言葉で解きほぐします。ようこそ、哲学へ。

936 ゲッチョ先生と行く 沖縄自然探検
盛口 満
沖縄島、与那国島、石垣島、西表島、宮古島を中心に、様々な生き物や島の文化を、著名な博物学者がご案内！〔図版多数〕

937 食べものから学ぶ世界史
—人も自然も壊さない経済とは?
平賀 緑
食べものから「資本主義」を解き明かす！産業革命、戦争…。食べものを「商品」に変えた経済の歴史を紹介。

938 国語をめぐる冒険
渡部泰明・平野多恵・出口智之・田中洋美・仲島ひとみ
世界へ一歩踏み出せば、新しい出会いと成長への機会が待っています。国語を使ってどう生きるか、冒険をモチーフに語ります。

940 俳句のきた道 芭蕉・蕪村・一茶
藤田真一
古典を知れば、俳句がますますおもしろくなる！ 個性ゆたかな三俳人の、名句と人生、俳句の心をたっぷり味わえる一冊。

941 AIの時代を生きる
—未来をデザインする創造力と共感力
美馬のゆり
人とAIの未来はどうあるべきか。「創造力と共感力」をキーワードに、よりよい未来のつくり方を語ります。

942 親を頼らないで生きるヒント
—家族のことで悩んでいるあなたへ
コイケ ジュンコ
NPO法人ブリッジフォースマイル協力
虐待やヤングケアラー…、子どもはどのようにSOSを出せばよいのか。社会的養護のもとで育った当事者たちの声を紹介。